북한인권 전문가 양성과정

북한인권 실태 보고서

작성·편집: 이석배 (국제관계학 박사)

자문·감수: 이우태 (정치학 박사)

삽   화: 고재영 작가

세이브엔케이 사업단

북한인권 실태 보고서

for 북한인권 전문가 양성과정

세이브엔케이 사업단

- 본 보고서는 북한인권전문가 자격증 (제2023-004673호) 과정 교육 자료임

- 문의: 세이브엔케이 사업단 info@savenk.kr

[목 차]

[표 목차]

[그림 목차]

[Ⅰ]
인권의 개념과 특성

Ⅰ. 인권의 개념과 특성

1. 인권의 개념

○ 인권(人權, human rights)은 보편적이고 절대적인 인간의 권리 및 지위와 자격을 일컫는 개념임

- 존엄성을 가진 인간으로서 누구나 가지는 기본적이고 보편적인 권리임

- 인간이기 때문에 당연히 인정되는, 인간이 인간다운 삶을 영위하기 위해 필수적인 최소한의 기준임

- 인간은 성별, 나이, 사회적 신분, 경제적 지위, 종교, 출신지역, 출신국가, 인종, 피부색, 언어, 성적지향, 성별정체성, 가족형태 또는 가족상황, 혼인 여부, 임신 또는 출산, 용모 등의 신체조건, 장애, 학력, 병력, 사상 또는 정치적 의견 등을 이유로 차별받지 않을 권리를 가지며, 이 모든 권리는 서로 긴밀하고 상호의존적이며 불가분의 관계에 있음

- 인권의 본질, 구체적인 내용과 범주는 사회적 또는 역사적 조건에 따라 다양할 수 있지만, 인류 보편적으로 지켜져야 할 권리로서 국제법과 국제규약에 정의되어 있으며, 우리나라를 비롯한 수많은 국가의 국내법에도 규정되어 있음

3

○ 인권은 생래적이고 천부적인 권리이지만, 인류의 태동부터 모든 인간이 누릴 수 있었던 권리는 아님

- 인권은 인류의 역사 속에서 수많은 희생, 끊임없는 저항과 투쟁 끝에 개념을 정립하고 범주를 확장시켜 온 노력의 결실이자 인류 최대의 발명품임

- 따라서 구체적인 인권의 내용과 범주는 사회적·시대적·역사적 상황에 따라 조금씩 변화하며 확장되어 왔고, 그 모든 내용과 범주는 근본적으로 보편적이고 천부적인 권리로서의 인권 개념에 기반을 두고 있음

○ 1946년 유네스코(UNESCO)의 탄생 과정에서 기구의 성립 목적을 '정의, 법의 지배, 인권 그리고 기본적인 자유에 대한 보편적인 존중을 함양하기 위하여 교육, 과학 및 문화를 통하여 여러 국민들 간의 협력을 촉진함으로써 평화와 안정에 공헌하는 것'이라고 밝힌 이래 인권에 대한 국제적 관심이 고조되면서 1948년 '세계 인권선언'이 도출됨

- 세계인권선언은 이전부터 각 나라별로 발전 되어 온 인권기준을 국제적인 차원에서 처음으로 집대성한 것으로, 인류 모두의 존엄과 권리에 대한 최소한의 보편적 기준을 담고 있음

- 세계인권선언은 오늘날 사회권과 자유권이라고 부르는 다양한 인권을 포괄하고 있으며, 이후 국제사회는 유엔을 통해 사

회권, 자유권, 인종차별, 고문, 여성차별, 아동, 이주노동자, 장애인, 강제실종 등 다양한 분야에 대한 국제 인권조약을 발전시켜온 한편, 수많은 국가의 헌법에 영향을 미쳤고, 각국 기본권의 근간을 구성함

- 인권관련 국제 규범 및 법령으로는 유엔헌장, 세계인권선언, 비엔나 인권선언 및 행동계획, 국제인권협약 및 선택의정서 (시민적 및 정치적 권리에 관한 국제규약 [A규약, 자유권규약], 경제적·사회적·문화적 권리에 관한 국제규약 [B규약, 사회권규약], 모든 형태의 인종차별 철폐에 관한 국제협약, 교육상 차별금지협약, 여성에 대한 모든 형태의 차별철폐에 관한 협약, 아동의 권리에 관한 협약, 장애인권리협약, 모든 이주노동자와 그 가족들의 보호를 위한 국제협약, 고문 및 그밖의 잔혹한·비인도적인 또는 굴욕적인 대우나 처벌의 방지에 관한 협약 등) 등이 있음

○ 대한민국 헌법도 제10조에서 '모든 국민은 인간으로서의 존엄과 가치를 가지며, 행복을 추구할 권리를 가진다. 국가는 개인이 가지는 불가침의 기본적 인권을 확인하고 이를 보장할 의무를 가진다'고 선언하고, 이하 제37조까지 평등의 원리, 자유권, 참정권, 사회권, 청구권 등을 규정하고 있음

- 인권 관련 국내 규범 및 법령으로는 대한민국헌법, 국가인권
  위원회법, 양성평등기본법, 남녀고용평등과 일·가정 양립 지원
  에 관한 법률, 여성폭력방지기본법, 성별영향평가법, 성매매
  방지 및 피해자보호 등에 관한 법률, 성폭력방지 및 피해자보
  호 등에 관한 법률, 아동·청소년의 성보호에 관한 법률, 가
  정폭력방지및피해자보호 등에관한법률, 다문화가족지원법, 고
  용상 연령차별금지 및 고령자고용촉진에 관한 법률, 장애인차
  별금지 및 권리구제 등에 관한 법률, 청소년보호법, 학교 밖
  청소년 지원에 관한 법률, 지역 학생인권조례 등이 있음

○ 프랑스 법학자 칼 바삭(Karel Vasak)은 인구너투쟁의 역사에
  서 인권이 확보한 권리를 각각 1세대, 2세대, 3세대 인권으
  로 분류하여 이론화 하였고, 이것을 '제3세대의 인권(the
  third generation of human rights)으로 명명함
- 국가로부터 개인의 자유를 보호하는 것 뿐 아니라 집단으로
  서 국가와 국제사회의 책임과 의무를 적극적으로 요구하고
  있음
- 법률적 영역을 넘어 정치, 경제, 사회복지, 환경, 사회개발 등
  인권의 실전 영역을 확대하였고, 시대적 변화에 따른 인권 패
  러다임의 전환을 잘 보여줌

〈표 1〉 세대별 인권

세대별 인권	정의	인권 목록
제1세대 인권 (시민적 · 정치적 권리: 자유권)	개인의 자유에 대한 국가권력의 각종 간섭배제를 통하여 실현될 수 있는 인권	- 생명권 / 신체의 자유와 안전을 누릴 권리 - 차별받지 않고 법의 평등한 보호를 받을 권리 / 남녀에게 동등한 권리를 보장 - 고문 및 잔혹하거나 비인도적 · 모욕적인 취급, 형벌을 받지 않을 권리 - 양심과 사상 및 종교의 자유 / 표현의 자유 / 집회와 결사의 자유 - 사생활, 개인정보, 가족생활을 존중받을 권리 - 정치 활동을 할 권리 - 적법절차에 따라 공정한 재판을 받을 권리 / 무죄추정의 원칙
제2세대 인권 (경제적 · 사회적 · 문화적 권리: 사회권)	최저생계의 보장 등과 같은 국가의 적극적 급부행정을 통하여 실현될 수 있는 인권	- 자유로운 선택과 수락에 따른 노동을 할 권리 - 차별받지 않고 동일노동에 대한 동등한 보수를 받을 권리 - 공정하고 쾌적한 노동조건에 대한 권리 / 연소자 노동 보호 - 근로시간의 합리적 제한 . 정기적 유급휴일을 포함한 휴식과 여가를 가질 권리 - 노동조합을 결성하고 가입하며 자유롭게 활동할 권리(노동자의 단결권) - 노동쟁의권과 파업권 - 사회보험을 포함한 사회보장에 대한 권리 - 가정의 보호 및 지원에 관한 권리 / 적절한 생활수준을 영위할 권리 - 가능한 최상의 신체 및 정신 건강을 영위할 권리 - 교육받을 권리 / 문화를 향유할 권리

세대별 인권	정의	인권 목록
제3세대 인권 (평화권, 연대권)	간섭배제요청권, 경우에 따라서는 국가의 적극적 정책과 행위를 요청하는 권리	- 정치, 경제, 사회, 문화적 자결을 향유할 권리 - 경제적·사회적 발전을 향유할 권리 - 자신의 발전에 유리한 환경에 대한 권리 - 안정적이고 결집력 있는 사회에서 살 권리 - 오염되지 않은 깨끗한 물과 공기, 식량에 대한 권리 - 평화를 향유할 권리 - 인류 공동 유산으로부터 이익을 얻고 그에 참가할 권리 - 인도적 원조를 요구할 수 있는 권리 - 과거와 미래의 인권침해문제를 연계하여 다루는 세대 간의 권리

2. 인권의 특성

○ 보편적 권리: 인권은 권리 주체에 상관없이 그 자체로 보편적임

- 특정인이 특정인에 대해서만 요구할 수 있는 계약적 권리와 달리, 인권은 그 주체나 상대방이 보편적이고 일반적인 속성을 가짐

- 세계인권선언은 "모든 개인과 사회의 각 기관은…권리와 자유에 대한 존중을 신장시키기 위하여 노력하고…권리와 자유의 보편적이고 효과적인 인정과 준수를 보장하기 위하여 힘쓰

도록" 하며 "모든 사람은 그 안에서만 자신의 인격을 자유롭
고 완전하게 발전시킬 수 있는 공동체에 대하여 의무를 부담
한다" 고 명시하고 있음

○ 도덕적 권리: 인권은 실정법에 대해 우선성을 가지며, 인간
   의 존엄성과 인격을 보호하기 위해 마땅히 보장되어야 하는
   도덕적 정당성을 지님
- 인권을 부정당한 사람들의 사례가 도덕적 공분을 자아내고,
   인간다운 사회라 한다면 그러한 사례는 타인의 공감과 연대
   를 이끌어 냄

○ 법적 권리: 포괄적인 국제법적 근거를 가진 권리임
- 인권은 이행 가능한 법적 권리일 때 보다 효과적으로 보장될
   수 있음
- 법적 권리가 아닌 도덕적 관념으로서 인권에 호소하게 되는
   것은 현실에서 이행 가능한 실체적 권리가 없거나 실체적 권
   리 규정이 오히려 인권에 반한다는 의미임
- 다만 당대의 실정법이 아니거나, 또는 특정한 실정법이 없다
   고 해서 인권이 아니거나 그 권리가 부정되는 것은 아님
- 오히려 인권이 실정법의 정당성을 판가름하여 해당 법의 개
   선 내지 개혁해야 할 방향성을 규정하는 잣대가 되기도 함

○ 필수적 권리: 인권은 그것 없이는 인간이 인간다움을 유지할 수 없는 근본적인 것, 즉, 인간의 존엄한 삶을 위한 '최소한의 필요'를 사회적으로 선택한 것이라 할 수 있음

- 인권으로 보장되는 내용은 인간이 존엄성을 지키는데 매우 중대하며 긴급한 성격을 가짐

- 유엔은 인권을 "인간 본성에 내재된 것으로 이것 없이는 인간이 인간으로서 살 수 없는 그런 권리들"이라고 정의하고 있음

- 즉, 사람의 삶을 영위하는 데 필요한 부분에 있어 사회가 특정 기준 이하로 떨어지는 것을 허용하지 않는 기준이며, 그것 없이는 기타 모든 권리를 누리는 것이 불가능하게 되는 필수적인 것임

[II]
북한이 바라보는 인권

Ⅱ. 북한이 바라보는 인권

○ 열악한 북한의 인권 상황은 북한체제의 특성과 깊은 상관관
  계가 있음

- 김일성·김정일·김정은으로 이어지는 봉건적적 권력 세습과
  1인 독재체제, 영도자(수령)에 대한 개인숭배 및 권력 집중,
  일원론적 이데올로기, 병영국가의 특징을 가지고 있는 북한은
  억압적인 공안기구를 통해 북한주민들을 통제하고 일방적인
  희생을 강요하는 등 비인간적인 인권유린 행위를 지속하고
  있음

○ 이러한 북한의 인권유린 상황에 대해 국제사회가 한목소리
  로 우려를 표하고 개선을 요구하고 있지만 북한은 북한만의
  인권을 주장하며 다음과 같은 논리로 대응하고 있음

1. 우리식 인권

○ 첫째, 북한은 '우리(북한)식 인권'을 강조하는데 북한이 말
  하는 우리식 인권이란 인권의 보편성보다는 문화적 상대성
  내지 특수성을 강조하는 입장임

- 북한은 지구상 모든 국가들이 각기 다른 전통과 민족성, 서로 다른 문화와 역사를 가지고 있기 때문에 각국마다 인권기준과 인권보장 형태가 다르다는 주장을 펼치고 있음
- 따라서 북한에서는 '우리식 인권기준'에 따라 북한주민의 인권이 잘 보장되고 있기 때문에 '서방식 인권'을 철저히 배격한다고 주장함
- 또한 1980년대 후반부터 '우리식대로 살자'는 구호와 함께 내세운 '우리식 사회주의' 체제에서는 김일성·김정일·김정은이 북한주민들에게 은혜를 베풀어 나라 전체가 화목한 대가정(大家庭)과 같으므로 북한에서는 인권문제 자체가 존재하지 않는다는 논리를 펼침

○ 북한에서 주장하는 '우리식 인권' 개념은 북한체제에 복종하고 당과 영도자(수령)에게 충성하는 사람들에게만 적용되고 민족반역자나 반혁명분자와 같은 북한체제에 위협이 되는 사람들의 인권은 전혀 보장할 필요가 없다고 여김
- 이점은 인권이라는 인류 보편적 가치가 모든 사람에게 평등하게 적용되는 것이 아니라 북한 체제에 순응하고 복종하는 사람에게만 적용된다는 차별적 적용을 당연시하게 함

2. 집단주의 원칙

○ 둘째, 북한에서 인권은 집단주의원칙에 기초하고 있는데, 북한 사회주의헌법 제63조에서는 "조선민주주의인민공화국에서 공민의 권리와 의무는 <하나는 전체를 위하여, 전체는 하나를 위하여>라는 집단주의원칙에 기초한다"고 규정하고 있음

- 이는 개인의 권리를 강조하는 보편적 인권 개념과 다르게 집단의 이익과 권리를 더 중요하게 여기는 것임

- 북한에서 사람은 개인으로서가 아니라 사회와 집단의 한 구성원으로 존재한다고 보고 개인이 사회와 집단을 위해 헌신하는 것을 중요한 가치로 삼고 있음

- 따라서 북한에서는 집단주의 원칙을 토대로 집단의 이익이 개인의 권리와 이익에 우선하며 집단의 이익을 위해서 개인의 권리는 얼마든지 제한될 수 있는 것임

- 결국 집단의 이익을 위해서는 개인의 희생은 당연시되는 되고, 북한 사회에서 개인의 권리를 주장하는 것은 상상할 수 없는 일임

3. 인권은 국가의 권리

○ 셋째, 북한은 '인권은 국권(國權), 곧 국가의 권리'임을 강
  조하며 국권을 자주권과 연계시키고 있음
- 북한은 "인권은 철저히 내정문제이고 국권이 보장되는 조건
  하에서의 인권이며 결코 내정간섭의 대상이 되거나 내정간섭
  을 합리화하기 위한 도구로 될 수 없다. 이로부터 공화국은
  인권은 곧 국권이다"라고 주장함
- 이처럼 인권을 내정의 소관으로 규정하는 북한은 국제사회가
  북한 인권 개선을 요구하는 것을 보편적 인권을 개선하려는
  순수한 의도가 아니라 미국을 중심으로 하는 서구 세력이 압
  력과 제재를 통해 북한 체제를 전복하려는 불순한 정치적 책
  동이라고 규정함

○ 구체적으로 북한은 탈냉전 이후 미국과 같은 제국주의 국가
  들이 정치적·경제적 영향력을 확대하여 신식민주의 국제질
  서를 만들기 위해 '인권'을 활용하고 있다고 비판
- 2023년 4월 유엔에서 북한인권결의안이 18년 연속 채택되자
  북한은 북한인권결의안이 "거짓으로 가득 차 있으며 진정한
  인권 증진과 무관하게 정치적 음모를 담은 문건"이라며 거
  부의사를 표시하고 "이 문건은 조국의 위신을 깎아내리겠다

는 단 하나의 목적에서 만들어졌고 우리 사회를 전복하려는 비현실적인 꿈을 실현하려는 것" 이라고 반발함

- 또한 결의안 초안 작성에 참여한 서방국가들을 가리켜 "침략과 학살, 인종차별 등 온갖 인권침해를 자행한 나라들" 이라며 "주권국가에 대한 내정간섭을 하려는 의도를 지녔다" 고 비난했음

○ 이처럼 보편적 인권 개념과는 다른 상대주의적, 집단주의적 인권 개념을 주장하는 북한에서는 당국에 의한 조직적이고 광범위한 인권침해가 김정은 시대에도 지속되고 있음

○ 북한주민들이 최소한의 생계마저 위협받는 상황에 처해있음에도 불구하고 북한당국은 막대한 재원을 투입하여 핵개발을 지속하고 있고, 코로나19 상황에서 방역을 이유로 국경폐쇄 조치를 취해 외부세계와의 물적, 인적 교류를 차단하는 동시에 주민들의 이동도 금지하고 장마당도 폐쇄하면서 북한주민들이 생활을 영위할 수 있는 수단을 차단하고 있음

○ 또한 공개처형, 정치범수용소 등의 사례에서 볼 수 있듯이 수령유일지배체제를 유지하기 위해 북한주민의 자유를 억압하고 인권을 유린하고 있음

○ 북한당국은 북한주민들이 외부세계 정보를 접촉할 수 없게
끔 철저히 통제·감시하고 있고 이는 북한주민들이 자신의
권리를 주장 할 수 없도록 원천적으로 봉쇄되고 있는 상황
이어서 북한인권 개선을 위해서는 국제사회의 개입이 불가
피한 상황임

[Ⅲ]
북한 주민에 대한
인권침해 실태

Ⅲ. 북한 주민에 대한 인권침해 실태

1. 생명 경시

○ 자유권 규약 제6조 제1항은 "모든 인간은 고유한 생명권을 가진다. 이 권리는 법률에 의하여 보호된다. 어느 누구도 자의적으로 자신의 생명을 박탈당하지 아니한다"고 규정함으로써 생명권은 인간으로서 최고의 권리이자 모든 인권의 기본임

○ 북한은 자유권 규약의 당사국으로 북한 주민들의 생명권을 보호할 의무가 있으며, 2019년 북한이 제출한 제3차 유엔 국가별정례인권검토(Universal Periodic Review, 이하 'UPR')보고서에서 북한은 생명권이 효과적으로 보장되고 있다는 것을 강조하고, "생명권은 사회주의헌법, 형법 및 기타 관련 법률에 의해 보장되며 검찰, 사법 및 공안기관에 의해 보호된다"라고 밝힘

○ 그러나 북한의 공식입장과는 달리 실제 현실은 북한 주민들의 생명권이 충분히 보장받지 못하고 있음

- 북한의 법규에서는 사형대상범죄를 과도하게 폭넓게 규정하고 이에 따라 실제로 빈번하게 사형을 집행하고 있어 '가장 중한 범죄'에 대해서만 사형을 선고해야 한다는 자유권 규약 제6조 제2항을 위반하고 있음

① 초법적, 약식 또는 자의적 처형

○ 유엔 자유권위원회는 국가기관에 의한 자의적 생명 박탈은 가장 심각한 문제이며 자의적 생명 박탈로부터의 보호가 가장 중요하기 때문에 이를 법률로써 엄격하게 통제하고 제한해야 한다고 강조함

○ 그러나 북한의 구금시설 내에서는 초법적, 약식 또는 자의적 처형이 종종 이루어지고 있음
- 2016년 4월 함흥교화소에서 도주 중 검거된 수감자에 대해 공식 재판절차 없이 공개총살이 집행된 사례가 있음
- 이런 식의 처형은 피구금자들에게 공포심을 조장하고 이들을 통제하려는 목적하에 공개적으로 이루어지는 경우가 많지만, 최근 국제사회의 인권에 대한 압박을 염두에 두어 비밀리에 이루어지기도 함
- 또한 재판절차를 형식적으로 거치거나 재판을 아예 하지 않고 처형이 이루어지기도 하는데, 김정은 집권 이후 장성택,

현영철, 리용호, 최영건, 김용진 등 고위급 인사에 대한 처형
이 이 경우에 해당함

② 광범위한 사형 부과

○ 자유권 규약에 따르면 사형은 '가장 중한 범죄'에만 부과
할 수 있으나, 북한에서는 사형을 부과할 수 있는 범죄의 구
성요건에 있어 '극히 무거운', '특히 무거운'과 같은 추
상적 용어를 사용하여 범죄에 대한 광범위한 사형 적용을
하고 있음

○ 북한에서는 마약 거래, 한국 녹화물 시청 및 유포, 살인, 국
가재산 약취, 강도, 인신매매, 강간 등을 이유로 사형이 이루
어지고 있음
- 2017년 양강도에서는 남성 1명이 한국 녹화물 유포를 이유로
총살되었으며, 같은 해 황해남도에서는 20여 명이 한국 녹화
물 시청 및 유포행위, 마약거래 혐의로 총살되었다는 북한이
탈주민의 증언이 있음

○ 최고지도자 지침(김일성 교시, 김정일 말씀, 김정은 지시)이
나 노동당 정책에 반하는 행위 등을 이유로 공개총살 되었
다는 증언도 있음

- 2020년 탈북한 북한이탈주민은 2015년 대동강 자라공장 지배
인과 당비서가 정치사상적인 죄목으로 공개총살 되었는데, 반
당적 행위, 수령의 유훈교시 말살, 부정부패 등의 이유로
1,000명 정도가 직접 보는 상태에서 처형되었다고 증언함

③ 미성년자에 대한 사형선고와 임산부에 대한 사형집행

○ 자유권 규약 제6조 제5항에서는 18세 미만의 자가 범한 범
죄에 대해 사형선고를 금지하고 있으며, 임산부에 대한 사형
집행을 금지하고 있음

- 북한 역시 2019년 제3차 UPR 보고서에서 국제사회의 권고를
따르고 있다고 밝히고 있으나 실제로는 미성년자에 대한 사
형선고와 임산부에 대한 사형집행이 이루어지고 있는 것으로
나타나고 있음

- 한 북한이탈주민은 2015년 원산 경기장에서 고급중학교를 졸
업한 16~17세 미성년 6명이 한국 영상물을 시청하고 아편을
했다는 이유로 사형을 선고받고 바로 총살되었다고 증언함

- 2017년 임신 6개월이었던 한 여성이 집에서 춤추는 한 여성
의 동영상이 시중에 유포되었는데, 여기서 손가락으로 김일성
의 초상화를 가리켰는데 이를 사상적으로 불온하다면서 그녀
를 공개 처형했다고 증언함

④ 코로나19 대유행 이후 방역질서 위반에 대한 사형부과

○ 2020년 북한은 코로나19 확산 차단을 위해 비상방역법을 제정하고 비상방역사업과 관련한 명령·정령·결정·지시집행 태만죄, 국경·지상·해상·공중봉쇄태만죄의 경우 최고 사형까지 처할 수 있도록 규정함

- 이는 비상 상황의 경우 의무 위반 조치가 가능하나 엄격한 요건 내에서만 처벌이 이루어져야 하는 점을 고려하면 과도한 생명권 위반 조치임

2. 신체의 자유와 안전에 대한 권리

○ 인간은 누구든 신체의 자유와 안전에 대한 권리를 갖으며 이는 정해진 법률에 근거하지 않는 자의적 체포나 억류를 금지한다는 의미

- 북한의 헌법과 형사소송법에서는 이러한 권리를 명시하고 있지만, 실제 현실에서는 법적 규정과 달리 자의적 혹은 불법적 체포나 억류가 이루어지고 있음

- 2016년 한 북한이탈주민의 아들이 신원을 밝히지 않은 남성에게 끌려가 며칠 동안 조사를 받았다는 증언이 있으며, 또 다른 북한이탈주민은 남편이 보위원에게 체포되어 보름가량 조사를 받았으나 체포 당시 체포 이유나 피의사실이 고지되지 않고 체포되었다고 증언함

○ 특히 체제를 비판하거나 최고지도자를 모독한 사람, 한국행을 기도한 사람, 종교 활동을 한 사람의 경우 법적 절차를 거치지 않고 정치범수용소로 보내고 있는데, 이는 북한당국에 의한 자의적 혹은 불법적 체포 및 억류에 해당함

3. 고문 및 비인도적 처우를 받지 않을 권리

○ 세계인권선언 제5조는 인간의 존엄성과 신체적·정신적 완전성을 보호하기 위해 "어느 누구도 고문이나, 잔혹하거나, 비인도적이거나, 모욕적인 취급 또는 형벌을 받지 아니한다"고 규정하고 있음

- 자유권 규약 제7조에서도 세계인권선언과 유사하게 "어느 누구도 고문 또는 잔혹한, 비인도 적인 또는 굴욕적인 취급 또는 형벌을 받지 아니한다"고 규정하고 있어 범죄로 인해 자유를 박탈당한 사람들이더라도 인간으로서의 인도적 처우를 받을 권리가 있음을 밝히고 있음

○ 북한이탈주민들의 증언에 의하면, 북한의 여러 구금시설(교화소, 노동단련대, 집결소, 구류장 등)에서 수용자들은 무차별적 폭행과 가혹행위를 당하고 있음

- 2016년 5월 양강도 보위부에서 8일 동안 조사받은 북한이탈 주민은 한국행 기도를 인정하지 않는다는 이유로 온몸에 멍 이 들 정도로 심한 폭행을 당했고, 아버지는 치아가 다 나가 고 눈이 터질 정도로 폭행당했음
- 2018년에 탈북한 북한이탈주민은 탈북 기도 혐의로 체포되어 2017년 한 달간 양강도 보위부 구류장에 수용되어 조사받았 는데, 고정 자세를 유지하지 않는 등 규정을 어긴 수용자는 각자(각목)로 맞았다고 증언함

○ 구금시설의 영양·위생·의료 상황이 매우 열악해서 많은 구금 자들이 고통을 당하고 있으며, 이러한 비인도적 처우로 인해 수용자가 심지어 사망에 이르는 경우도 발생하고 있음
- 북한이탈주민에 따르면 2017년 온성군 보위부 구류장에서 매 일 같이 심한 구타를 당해 허리와 등에 상처가 심하게 났으 나 치료를 제대로 받지 못했고, 파상풍이 생겨 열이 심하게 나고 고름이 났었다고 함
- 2018년 탈북한 북한이탈주민은 2016년 함흥교화소 복역 중 질병으로 사망한 수형자 2명을 목격했다면서 자궁암, 척추결 핵을 앓고 있었던 이들이 교화소에서 진료를 해주지 않아 치 료를 받지 못해 사망한 것이라고 증언함

- 2014년 혜산시 집결소에 구금되었던 다른 북한이탈주민도 통 강냉이와 시래기국이 식사로 제공되었는데 양이 많지 않아 수감자 모두 배고파했다고 함
- 2018년에서 2019년 사이 구류장에 수감 되었던 북한이탈주민 도 식사로 한 줌 정도의 옥수수를 소금물과 함께 받았다고 증언함

4. 정치범 수용소

○ 북한은 체제유지를 위한 통치수단으로 '관리소'라고 불리 는 정치범수용소를 운영하고 있으며 이곳에서 벌어지는 심 각한 인권 유린으로 인해 북한주민들은 정치범수용소에 대 한 공포심을 가지고 있음
- 북한의 정치범수용소는 국가보위성에서 운영하는데 철저한 보안이 유지되는 비공식적 구금시설이며 북한당국은 공식적 으로 정치범수용소의 존재를 부정하고 있음
- 현재까지 파악된 정치범수용소는 개천 14호 관리소, 명간 16 호 관리소, 개천 18호 관리소, 청진 25호 관리소 등 총 4개가 운영되고 있음

- 통일연구원에 따르면, 2013년 기준 5개 관리소에 8~12만 명
  규모의 정치범들이 정치범수용소에 수용되어 있다고 알려져
  있으며, 정치범수용소는 일반주민들이 접근하기 어려운 산악
  지역에 위치하고 있는데 수용소의 규모는 여러 개의 '리'
  또는 '노동자구'를 합쳐 놓은 방대한 크기라고 알려져 있음

〈그림 1〉 북한의 정치범수용소

※ 출처: 통일연구원, 북한인권백서 2022 (서울: 통일연구원), p. 454.
※ 주: '요덕 15호 관리소'는 폐쇄된 것으로 알려짐

<표 2> 북한 정치범수용소 관리 및 운영 현황

구분	개천 14호	명간 16호	개천 18호	청진 25호
형태	마을	마을	마을	구금시설
구역구분	완전 통제구역	완전 통제구역	이주민	교화소 형태
사회복귀	불가능	불가능	불가능, 가능	불가능, 가능
가족동반 여부	가족동반	가족동반	본인/가족동반	본인
관리주체	국가보위성	국가보위성	사회안전성	국가보위성

※ 출처: 통일연구원, 북한인권백서 2022 (서울: 통일연구원), p. 454.

○ 정치범수용소에 수용되는 사유는 크게 내란죄, 외환죄, 간첩죄와 같은 '절대적 정치범죄'와 살인, 방화, 절도 등 일반 범죄가 절대적 정치범죄와 결합된 '상대적 정치범죄'로 구분됨

- 구체적인 정치범수용소 수용 사유로는 북한 체제를 비판하거나 수령을 모독한 경우, 한국에서 돈을 받거나 한국으로 전화를 하는 경우, 조직적 인신매매, 한국행을 기도한 경우, 한국행 알선 행위, 한국 사람과 접촉하거나 한국에 대한 우호적 발언을 한 경우, 한국이나 외국에 중요 문건이나 정보를 제공한 경우 등이 있음

○ 정치범에 대한 처벌은 본인뿐만 아니라 그 가족, 경우에 따라서는 친척까지도 연계해서 처벌하는 연좌제를 적용하고 있음

- 2016년에 탈북한 북한이탈주민에 따르면 2014년경 모녀가 한국행을 기도하다가 붙잡히자 모녀의 할머니까지 정치범수용소로 보내졌다고 함

○ 정치범수용소 수용에 대한 결정은 재판을 거치지 않고 국가보위성에서 단독으로 결정하기 때문에 일반주민들이 가족이나 친지가 정치범수용소에 수용된 사실을 알기가 쉽지 않음

- 2017년 탈북한 50대 여성은 탈북 브로커였던 동생이 2016년에 보위부에 체포된 이후 행방을 알 수 없는 상황이라며 정치범수용소에 보내진 것으로 생각하고 있다고 말함

○ 정치범수용소에 수용된 사람들은 수용소 내에서 인간으로서 최소한의 권리도 보장받지 못하고 있음

- 정치범수용소에서는 규율 위반, 명령 불복종 등의 이유로 법적 절차 없이 보위원에 의한 처형이 이루어지기도 하는데, 이러한 처형은 공개처형이 대부분이지만 일부는 비밀처형이 집행되기도 함

- 정치범수용소 수용자들은 '일하는 개미'로 불리울만큼 강도 높은 노동에 시달리고 있는데, 노동의 종류는 수용소 위치에 따라 탄광 노동이나 농사를 지음

- 수용자들은 하루 노동량을 채우지 못할 경우 계획된 양을 채울 때까지 일을 해야 하며 휴일에도 쉬지 못하고 노동에 동원되고 있음

- 또한 수용소에서는 폭행 및 가혹행위가 만연해 있으며, 영양·위생·의료 상황도 열악하여 수용자들이 고통을 당하고 있음

- 북창 18호 관리소에서 거주했던 북한이탈주민은 자신의 아버지가 지병과 영양실조로, 동생 2명은 각각 영양실조와 질병으로 사망했다고 말함

- 뿐만 아니라 수용소에서는 기본적 인권인 가족권까지 침해되고 있는데 부모 형제라도 함께 살 수 없으며 부부조차도 따로 떨어져 살아야 하고 결혼과 출산이 금지되며 부부관계를 못하도록 밤과 낮에 서로 번갈아가며 일을 시킨다는 증언도 있음

5. 억압적 정보통제

○ 북한은 철저히 외부로부터의 사상과 정보유입을 철저히 통제하면서 세습 정권을 유지하고 있으며, 이에 따라 북한주민들은 인간의 기본적 권리인 사상・양심의 자유, 종교의 자유, 표현의 자유, 언론・출판의 자유, 정보 접근권을 누리지 못하고 있음

○ 최근 들어 북한은 「반동사상문화배격법」(2020년), 「청년교양보장법」(2021년), 「평양문화어보호법」(2023년) 등 일명 김정은 시대 사회통제 3대 악법을 제정하고 외부 정보, 특히 반사회주의, 비사회주의 정보 유입 및 확산을 막으려 하면서 북한주민들에 대한 통제를 강화하고 있음

- 반동사상문화배격법에 따르면, 한국 영화나 녹화물 등을 유입 및 유포하거나 시청, 열람한 경우 최고 사형을 선고할 수 있도록 명시하고 있음

○ 북한주민들은 영화, 드라마, 음악 등을 통해 외부 정보를 접하고 있으나 북한당국은 이러한 영상물을 통한 정보 유입을 강력하게 통제하고 있으며, 적발 시 처벌의 수위가 지속적으로 강해지고 있음

- 북한은 외부로부터 유입된 영상물을 '비사회주의 퇴폐문화'로 규정하고 이러한 영상물을 접한 북한주민들에 대한 검열과 단속을 강화하고 있으나, 해외 유학생, 노동자, 장사꾼 등을 통해 영상물이 북한 내부로 지속적으로 유입 및 전파되고 있는 상황임

- 이에 따라 북한당국은 당, 국가보위부, 사회안전성 소속 단속원으로 구성된 109상무라는 특별 단속 조직을 구성해 외부정보 유입 및 전파를 집중적으로 단속하고 있으며, 단속 시 사전 공지나 영장 없이 가택수색을 하고 있음

- 북한이탈주민은 한 달에 한 번 정도 검열받았는데 단속 때 문을 열어주지 않으면 강제로 들어가며, 검열에 걸렸을 때 당 위원회 통보선에서 끝날 수도 있지만 심할 경우 안전부나 보위부에 가거나 추방당한다고 증언함

- 또 다른 한국 영상물을 보는 것이 빙두(마약)으로 단속되는 것보다 더 중한 처벌을 받게 되며 심지어 정치범수용소로 가게 되거나 심지어 총살되는 경우도 있다고 함

○ 북한에서도 주민들 사이에 휴대전화 사용이 확산되고 있으며, 휴대전화는 외부 정보 유입 및 전파의 주요 수단으로 활용되고 있음.

- 이에 따라 북한당국은 도청 및 보안체크 기능을 휴대전화에 탑재해 정보의 자유로운 확산을 막고, 방해전파 및 감청장비를 설치하는 등 다양한 방식으로 정보 유입 및 전파를 통제하고 있음
- 한 북한이탈주민은 중국 전화기를 사용하다가 전화를 감청하는 보위부 111로부터 가택수색을 당했다고 증언하였으며, 휴대전화에 대한 단속은 빈번히 이루어지기 때문에 평상시 북한주민들은 휴대폰을 숨겨놓았다가 산이나 아파트 옥상에서 간단히 외부와 통화하거나 문자메세지만 간단히 주고받은 후 삭제한다고 함

6. 이동 통제 및 강제추방

① 이동 통제
○ 북한은 사회주의헌법 제75조에서 "공민은 거주, 려행의 자유를 가진다"고 규정하고 있지만 실제로 북한당국은 주민들의 이동 자유를 엄격히 제한하고 있음

○ 우선 북한주민들은 여행증을 발급받아야 다른 지역으로 이동할 수 있으며, 평양이나 국경 지역으로 이동할 경우 더 엄격한 통제 및 관리를 받음

- 북한 행정처벌법 제282조에서는 "려행질서를 어긴자에게는 경고, 엄중경고처벌, 벌금처벌 또는 3개월 이하의 무보수로동처벌, 로동교양처벌을 준다. 정상이 무거운 경우에는 3개월 이상의 무보수로동처벌, 로동교양처벌을 준다"고 규정하여 주민들의 이동을 엄격히 통제하고 있음
- 여행증의 경우 미성년자는 단독으로는 증명서를 발급받을 수 없고 반드시 여행증을 발급받은 보호자와 함께 동행해야 하며, 공무상 출장을 할 경우 출장증명서를 발급받아야만 북한 내 이동을 할 수 있음
- 환자의 경우 진단서를 소지하면 병원이 위치하고 있는 지역이나 간병을 해줄 가족이 있는 거주지까지 이동하는 증명서를 발급받아야 이동이 가능함
- 여행증을 발급받은 북한주민들은 여행지에 도착하면 반드시 도착 지역 인민반장으로부터 확인을 받은 후 숙박등록부에 등록하고 인민보안성으로부터 여행증 뒷면에 검인을 받아야 함

○ 최근 다수의 북한이탈주민에 따르면 과거에는 여행증명서를 발급받기가 상당히 어려웠으나 최근에는 뇌물을 주면 상대적으로 쉽게 증명서를 받을 수 있다는 증언이 늘고 있음

- 북한이탈주민의 증언에 따르면 여행증명서를 합법적으로 발급받으려면 최소한 일주일 이상 걸리기 때문에 관료들에게 담배나 뇌물을 주고 즉시 증명서를 발급받는 경우도 많다고 함
- 특히 김정은 집권 이후인 2015년 이후부터는 아예 여행증명서를 떼는 뇌물 가격이 책정되어 있다는 북한이탈주민의 증언도 있음
- 예를 들어 신의주에서 평양은 중국돈 200위안, 신의주에서 청진은 중국돈 100위안, 청진에서 신의주는 200위안 정도인데, 평양과 같은 특수구역에서 일반구역으로 나가는 비용은 저렴한 반면, 일반구역에서 특수구역으로 들어가는 경우 뇌물 비용이 2배로 비싸다고 함

○ 북한당국은 여행증 제도를 통해 주민들의 이동의 자유를 엄격히 제한하려 하지만, 지역 간 이동 과정에서 뇌물이 만연하게 되면서 오히려 주민들의 이동이 증가하였다는 북한이탈주민의 증언도 있음
- 하지만 문제는 뇌물을 지급할 경제적 여력이 되는 계층만이 당국의 통제를 피해갈 수 있는 것이고 경제적 상황이 넉넉하지 못한 일반주민들은 여전히 이동의 자유가 엄격히 통제되고 있는 상황임

○ 코로나19 발생 이후 방역 관련 법률 개정은 북한주민의 이동의 자유를 심각히 침해하고 있는 상황임

- 북한은 코로나19 발생이후 비상방역법을 제정하고 비상방역 등급을 1급, 특급, 초특급 등 세 단계로 구분하고 봉쇄·제한·차단·격리 조치를 실시하여 주민들의 이동을 철저히 통제함

- 비상방역법에서 가장 우려스러운 점은 북한주민들이 방역 조치를 위반하였을 경우 최고 사형까지 부과할 수 있는 규정이 있어, 북한주민들이 비상방역법을 어길 시 과도한 형사처벌을 받을 수 있다는 점임

② 강제추방

○ 북한당국은 정치적으로 불순한 세력 및 반체제 인사, 그리고 그 가족 등에 대한 강제추방을 정치적 수단으로 활용해 왔으며, 평양과 같이 특수계층이 사는 지역에서는 성분 불량자 들을 구분해 지방으로 대거 이주시키기까지 함

- 김정은 집권 이후 북한당국은 평양의 인구를 줄여 식량배급 등 평양시민에 대한 혜택을 확대하는 동시에 체제불만자를 색출하여 사회 통제를 강화하려는 목적으로 전과자나 무직자를 평양 밖으로 강제 이주시킨 것으로 알려짐

- 김정은의 고향인 삼지연시는 북한에서 '혁명의 성지', '제2의 평양'으로 불리는데, 이 지역에 거주하고 있는 교화자

(전과자)와 그 가족들은 타 지역으로 강제 이주시키는 것이 원칙이라는 북한이탈주민의 증언이 있었음

- 김정은 시대에 들어서서는 탈북에 대한 통제를 강화하기 위해 연선(국경)지역 주민들을 강제 이주시킨 사례도 있음

○ 성매매, 마약, 사기 등 사회주의 질서를 어지럽히는 '비사회주의' 범죄를 저지른 본인 및 가족을 대상으로 강제추방이 이루어지기도 함

- 2017년 탈북한 북한이탈주민은 아들이 사기죄를 지어 어머니가 타 지역으로 추방당했고, 성매매업소를 운영하던 여성이 적발되어 여성은 처형당하고 그 아들은 추방을 당했다고 증언함

- 2016년에 탈북한 북한이탈주민은 2014~2015년 경 유괴범을 도와줬다는 이유로 가족이 모두 강제추방 당하는 사례를 목격했다고 증언하기도 함

- 2018년 신의주에 거주한 트럭 운전수가 북한 국기를 중국에 팔았다는 죄목으로 추방되었으며, 운전수의 가족들 또한 먹고 살기 힘든 시골로 추방되었다는 증언도 있음

7. 사상·양심 및 종교 탄압

① 유일사상 강요

○ 북한의 사회주의헌법에는 사상·양심의 자유에 대한 규정이 없고, 대신 제3조에 '김일성-김정일주의'를 국가건설과 활동의 유일한 지도적 지침으로 삼는다고 규정하여 김일성-김정일주의가 북한의 유일한 사상임을 강조하고 있음

○ 또한 '당의 유일적영도체계확립의 10대 원칙(이하 '10대 원칙')'에서 김일성-김정일주의 외에는 어떠한 사상도 허용하지 않음을 밝히고 있음

〈표 3〉 당의 유일적 영도체계 확립의 10대 원칙

제1원칙	온 사회를 김일성·김정일주의화 하기 위하여 몸바쳐 투쟁하여야 한다.
제2원칙	위대한 김일성동지와 김정일동지를 우리 당과 인민의 영원한 수령으로, 주체의 태양으로 높이 받들어 모셔야 한다.
제3원칙	위대한 김일성동지와 김정일동지의 권위, 당의 권위를 절대화하며 결사옹위하여야 한다.
제4원칙	위대한 김일성동지와 김정일동지의 혁명사상과 그 구현인 당의 노선과 정책으로 철저히 무장하여야 한다.

제5원칙	위대한 김일성동지와 김정일동지의 유훈, 당의 노선과 장침관철에서 무조건성의 원칙을 철저히 지켜야 한다.
제6원칙	영도자를 중심으로 하는 전당의 사상의지적 통일과 혁명적 단결을 백방으로 강화하여야 한다.
제7원칙	김일성과 김정일을 따라 배워 고상한 정신도덕적 풍모와 혁명적 사업방법, 인민적 사업작풍을 지녀야 한다
제8원칙	당과 수령이 안겨준 정치적 생명을 귀중히 간직하며 당의 신임과 배려에 높은 정치적 자각과 사업실적으로 보답하여야 한다.
제9원칙	당의 유일적 영도 밑에 전당, 전국, 전군이 하나와 같이 움직이는 강한 조직규율을 세워야 한다.
제10원칙	김일성이 개척하고 김일성과 김정일이 이끌어온 주체혁명위업, 선군혁명위업을 대를 이어 끝까지 계승·완성하여야 한다.

○ 북한에서 10대원칙은 사회주의헌법보다 상위에서 작동하며, 북한주민들은 이 10대원칙을 사회생활 및 일반생활에서 절대적인 행동지침으로 삼아야 함

- 북한당국은 10대원칙을 자의적으로 해석·적용하여 정치적으로 불만을 가진 사람들을 정치범·사상범으로 지목·처벌하는 근거로 활용하고 있음

- 북한이탈주민의 증언에 따르면 인민반 또는 조직단체에 보위부 스파이를 심어 두어 주민들의 사상 동향을 파악하거나 주민들에게 서로를 감시하도록 한다고 함

- 또한 북한에서는 유년기부터, 소학교, 고급중학교에 이르기까지 전 교육과정에서 김일성-김정일주의 교육(사상교육)이 이루어지며 학교를 졸업한 뒤에도 직장생활 및 일반생활에서도 사상교육이 지속된다고 함

- 북한이탈주민에 의하면 "북한에서 준수해야 하는 가장 중요한 법이나 지침은 10대 원칙이다. 10대 원칙을 항상 머리에 새겨 학교에서나 나중에 사회에 나가서나 이 원칙대로 행동하며 살라고 한다. 10대 원칙을 어기면 큰 처벌을 받는다고 학교에서 늘 강조하고, 이런 교육을 받다보면 세뇌당해서 10대 원칙에 반하는 행동을 하려 하지 않는다"고 함

○ 북한당국은 10대 원칙에 따라 김일성·김정일의 초상화를 자신의 목숨처럼 여기기를 강요함

- 인민학교 2학년(9세)의 어린 학생이 교과서에 있는 김일성·김정일 부자의 얼굴에 연필로 낙서를 했다는 죄로, 또 나이 많은 할머니가 김일성이나 김정일의 사진이 실린 노동신문을 도배지로 사용했다는 죄로 전 가족이 행방불명되기도 했다는 북한이탈주민의 증언이 있음

○ 북한에서 사상·양심의 자유가 보장되지 않는 핵심적 요인은 수령 유일 지배체제에서 비롯된 개인숭배 문화로 볼 수 있음

- 수령이 사회의 모든 분야를 지배하는 북한에서 김일성-김정 일주의 이외의 사상은 수령유일 지배체제를 흔드는 반체제 요인으로 간주되기 때문에 북한주민들에게는 김일성-김정일 주의 이외의 다른 사상은 상상도 하지 못하는 것임

② 종교 탄압

○ 세계인권선언 제18조는 "모든 사람은 사상·양심 및 종교 의 자유에 대한 권리를 가진다"고 규정하고 있음

- 자유권규약 제18조 제2항에서도 "어느 누구도 스스로 선택 하는 종교나 신념을 가지거나 받아들일 자유를 침해하게 될 강제를 받지 아니한다"고 규정함으로써 사상·양심 및 종교 의 자유에 대한 권리가 보장되어야 함을 강조하고 있음

○ 북한은 사회주의헌법 제68조에서 신앙의 자유를 보장한다고 밝히면서도 "종교를 외세를 끌어들이거나 국가사회질서를 해치는데 이용할 수 없다"고 명시해 종교를 탄압할 수 있 는 근거를 마련해 놓고 있음

- 또한 북한 조선인권연구협회가 발간한 「조선인권연구협회보 고서」에 따르면 "종교의 자유는 사회질서, 사회안전, 도덕 그리고 인간의 다른 권리를 보호하는데 필요한 한도에서만 국가의 법으로 허용되고 보장되고 있다"고 하면서 종교를 국가의 통제 하에 두는 원칙을 강조하고 있음

- 이외에도 2021년에 제정된 청년교양보장법 제41조에서는 청
년은 '종교와 미신행위'를 하지 말아야 한다고 규정해 종
교에 대한 자유를 인정하지 않음을 명문화 하고 있음

○ 북한은 정권 수립 이후 '종교는 인민의 아편'이라는 김일
성의 교시에 따라 주민들의 종교 활동을 제한하고 종교를
꾸준히 탄압해 왔음
- 북한은 종교를 지배계급이 피지배계급을 착취하는 '제국주
의적 침략도구'로 간주하기 때문에 종교인들은 대부분 반민
족적·빈혁명적 대상으로 분류되어 탄압을 받았음
- 실제로 북한에서는 '종교는 허황된 것이고 거짓'이며 선교
사는 '악한 자'라고 세뇌가 될 정도로 교육을 시키기 때문
에 종교에 대한 관심을 가지는 것은 생각할 수도 없고 '선
교사'라는 단어를 들으면 무서운 감정이 들 정도라고 함

○ 기독교는 제국주의 침략의 정신적 도구이기 때문에 북한 체
제유지에 부정적인 영향을 미친다는 이유로 많은 기독교인
들이 탄압받고 있음
- 북한이탈주민의 증언에 따르면 2015년 황해북도에서는 기독
교 전파를 이유로 여성 2명이 처형되었고, 2018년 평안남도
평성에서 성경을 소지했다는 이유로 2명이 공개처형 당했다
고 함

- 또한 2019년 평양에서 비밀리에 교회를 운영하던 단체가 적발되어 5명이 공개처형 당하고, 7명은 관리소로 보내졌으며, 30명은 노동교화형을 받고, 가족을 포함한 50여명은 평양에서 지방으로 강제추방 되었다고 함

8. 만성적 식량부족

① 식량부족 현황

○ 북한은 1990년대 대기근 이래 현재까지 만성적인 식량부족 문제를 해결하지 못하고 있음

- 2022년 북한의 곡물 생산량(쌀, 밀, 옥수수, 보리 등 모든 곡물 포함)은 451만 톤으로 연간 필요량인 550만 톤보다 약 100만 톤 가량 부족한 것으로 나타나고 있음

- 2016년부터 2022년까지 6년간 북한의 평균 곡물 생산량은 약 460만 톤으로 매년 100만 톤 가량의 식량이 부족한 것으로 추정되고 있으며, 이 수치는 북한 전 주민이 매해 2~3개월치의 식량이 부족한 상황을 겪는다는 것을 의미함 (그림2 참조)

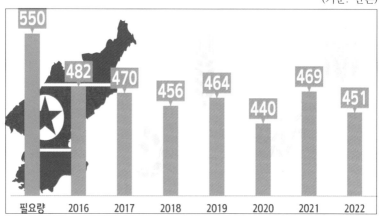

(기준: 만톤)

550 482 470 456 464 440 469 451

필요량 2016 2017 2018 2019 2020 2021 2022

〈그림 2〉 북한의 식량 수요량 및 생산량

※ 출처: 통일부 대북지원정보시스템, 북한현황지표

○ 최근 국제사회는 북한의 심각한 식량상황에 대해 지속적인
  경고를 보내고 있음

- 2023년 미국 농무부 산하 경제연구소는 『국제 식량안보 평
  가 2023-33』에서 2023년 북한 주민의 59.8%인 1,560만 명이
  식량부족 상태일 것으로 전망

- 유엔식량농업기구(FAO), 국제농업개발기금(IFAD), 유엔아동기
  금(UNICEF), 세계식량계획(WFP), 세계보건기구(WHO)가 공동
  으로 발표한 '2023 세계 식량 안보 및 영양 현황'에서는
  북한인구의 45.5%, 즉 1,183만명 가량이 영양부족 상태라고
  밝힘

- '2023 세계 식량 안보 및 영양 현황'에서 밝힌 수치는 2022년 동 보고서에서 밝힌 41.6%(1,070만명)보다 약 4%p 늘어난 것으로 최근 북한주민들의 영양부족상태가 더욱 악화된 것을 보여주고 있음

- 또한 '2006 세계식량불안보고서(The State of Food Insecurity in the World 2006)'에 따르면 2001~2003년 기간 동안 북한의 영양부족 인구는 총 790만 명으로 전체인구의 35%인 것으로 조사되었음

- 2000년대 초반은 북한의 대기근 기간이었던 '고난의 행군' 시기 직후로써 북한주민들이 식량을 구하는 것이 쉽지 않던 시절이었음. 그러나 최근 북한의 영양부족인구가 고난의 행군 직후 시기보다 많다는 조사결과는 현재 북한의 식량난이 얼마나 심각한지를 보여주고 있음

② **식량부족 원인: 핵무기 개발**

○ 첫 번째 북한의 식량부족 원인은 북한당국이 핵무기 개발에 국가 재원을 무리하게 투입하고 있기 때문임

○ 북한이 핵무기 개발을 시도한 이후 현재까지 사용된 비용은 대략 11억~16억 달러(한화 1조 3천억~2조원)가량으로 추정되고 있음

- 이 금액을 식량구입에 투입한다면 쌀은 141만 톤~205만 톤, 옥수수는 282만 톤~410만 톤가량 구입할 수 있으며, 이 정도 식량은 쌀의 경우 북한주민이 1~2년가량, 옥수수는 3~4년 치 소비할 수 있는 양임

○ 또한 북한은 2022년 한해에만 대륙간탄도미사일 8발을 포함해 총 71발의 탄도미사일을 발사함

- 대략적으로 대륙간탄도미사일(ICBM)은 한발 당 최대 3,000만 달러, 중거리탄도미사일(IRBM)의 경우 한발 당 500만 달러, 단거리탄도미사일(SRBM)은 한발 당 300만 달러의 비용이 소요되는 것으로 알려져 있음

- 북한의 노동비가 매우 저렴하여 발사 비용을 적게 추정한다고 하더라도 2022년 한 해 동안 북한은 적게는 2억 달러(2,600억 원), 많게는 5억 3,000만 달러(6,890억 원)를 투입한 것으로 분석되고 있음

- 김정은 정권이 2억 달러를 식량구입에 투입한다면 쌀 50만 톤(2022년 기준)을 구입할 수 있는 금액으로 이는 북한 모든 주민이 50일가량 소비할 수 있는 양임

○ 즉 김정은 정권은 심각한 만성 식량부족 상황에도 불구하고 천문학적 비용을 핵개발에 투입하여 북한주민의 생활을 더욱 어렵게 만들고 있다는 비판을 면할 수 없음

③ 식량부족 원인: 코로나19 이후 국경폐쇄

○ 두 번째 북한의 식량부족 원인은 국경폐쇄조치인데, 북한은 2020년 코로나19 팬더믹 상황이 발생하자 국경폐쇄조치를 취하고 북한에 주재하고 있던 국제기구 요원을 모두 철수시키는 등 외부 세계와의 모든 인적·물적 교류를 차단함

- 북한당국의 국경봉쇄 조치는 국제사회의 대북 인도주의적 지원활동 또한 크게 위축시켰는데 2022년 한 해 동안 이루어진 국제사회의 대북 지원 규모는 233만 달러로 10년 전인 2012년 (1억1천779만달러) 대비 1.9%에 그치는 것으로 나타나고 있음

- 매년 부족한 식량을 국제사회의 지원으로 채우던 북한으로서는 국제사회의 지원이 끊기게 되면서 더욱 심각한 식량부족 상태를 겪는 것으로 보임

- 그러나 북한당국은 국제사회의 지원을 제국주의자들이 자신을 예속시키고 지배하려는 의도를 가진 것이기 때문에 강하게 거부한다는 입장을 보이고 있음

○ 2022년 5월 북한에서 코로나19가 확산되자 내부적으로 주민들의 이동을 금지시키는 강력한 봉쇄 및 격폐 조치를 취하면서 식량 생산 활동과 더불어 식량 거래도 대폭 축소되었는데, 그 결과 최근 북한에서는 아사자가 급증한 것으로 알려짐

④ 식량부족 원인: 식량 공급 체계의 붕괴

○ 세 번째 북한의 식량부족 원인은 식량 공급 체계의 붕괴가
식량난을 가중시키고 있는 것으로 나타남

○ 북한의 공식적인 식량 공급 체계는 배급제이지만, 북한이탈
주민의 증언에 따르면 현재 북한의 배급제는 외형적으로만
형태를 유지하고 있을 뿐 차별적이고 불규칙적으로 배급이
이루어지고 있어 주민들의 식량 사정을 채워주지 못하는 상
황임

- 우선 국가 배급 식량은 주로 국가권력기관 종사자들을 중심
으로 배급되고 있어서 일반주민들은 배급을 전혀 받지 못하
거나 받는다고 하더라도 매우 적은 양만 받는다고 함

- 국가의 식량 배급이 원활하지 못하자 탄광, 해외무역 담당 기
업소, 군수공장 등 사업 실적이 좋은 일부 공장이나 기업소가
자체적으로 식량 배급을 하기도 했으나 2016년 대북 제재가
강화되어 대외무역이 급격히 감소 된 이후 이마저도 여의치
않게 됨

- 결국 북한의 일반주민들은 국가에서도 식량 배급을 제대로
받지 못하고, 자신이 다니는 일반 공장이나 기업소에서도 배
급을 받지 못해 만성적인 식량부족 상황을 겪을 수밖에 없고
이는 주민들의 영양부족 상태로 이어지게 되고 있음

○ 만성적으로 식량부족을 겪는 북한주민들은 식량 확보 자구책으로 집 근처 텃밭이나 산을 개간하여 일구는 뙈기밭에서 소토지 농사를 통해 식량을 자체 조달하기도 함

- 북한주민들은 텃밭이나 뙈기밭에서 생산된 농산물을 자체 소비하기도 하고 잉여 생산물은 장마당에 내다 팔기도 하면서 북한 사회 내 부족한 식량을 메꾸는 방법으로 활용하고 있음

- 그러나 산을 개간하여 농사를 짓는 뙈기밭이 점점 늘어나게 되면서 산림이 부족해지고 이는 홍수에 매우 취약하게 되는 상황이 발생하자 북한당국은 2015년부터 적극적인 산림복구 정책을 펼쳤고 뙈기밭 농사를 제한하는 조치를 취함

- 이에 따라 북한주민들의 식량 자체조달 방법이 다시 줄어들게 되면서 북한의 식량부족 상황은 악순환을 겪고 있음

9. 여성·아동에 대한 인권침해

① 여성에 대한 권리 침해

○ 북한은 2019년 제3차 보편적정례검토(Universal Periodic Review: UPR) 국가보고서와 2021년 자발적 국가 검토 보고서(Voluntary National Review:VNR)에서 양성평등을 목표로 여성의 권리를 보장한다고 주장하고 있음

- 그러나 실제 북한사회에서는 남존여비(男尊女卑)의 고정관념과 여성에 대한 고정된 성역할 및 성차별의식이 깊숙이 자리 잡고 있음

- 2020년에 탈북한 20대 남성 북한이탈주민은 북한에서는 여자는 온순해야 하고 남자를 잘 챙겨줘야 한다는 인식이 많다고 증언했고, 40대 남성 북한이탈주민의 경우 부부간 반말을 삼가고 남편이 제 역할을 잘 못해도 부인은 남편을 존경해야 한다는 인식이 많다고 증언함

- 다수의 북한이탈주민에 따르면 가사일은 여성의 몫이며, 대학세 군대 나오는 것보다 시집 잘 가는 편이 낫다고 말하고 있고, 여성이 가정의 생계를 유지한다고 하더라도 육아는 무조건 여성의 몫이며 남성이 부엌일을 하면 여성이 비난받는다고 함

○ 특히 도시보다 시골 지역에서 성에 대한 고정관념과 여성에 대한 사회적 인식변화가 적은 것으로 알려져 북한의 시골 지역에서는 성차별이 심한 것으로 나타나고 있음

- 최근 들어 장마당에서 장사를 하는 여성이 증가함에 따라 여성의 경제력이 향상되면서 "딸을 낳으면 심장을 낳고 아들을 낳으면 맹장을 낳는다" 는 말이 있을 정도로 남아선호(男兒選好)의식이 많이 줄어들었다는 증언도 있음

○ 그러나 역설적으로 여성의 경제활동이 증대되면서 오히려 육아를 비롯한 가정일과 생계를 여성이 모두 책임져야 하는 상황에 직면하고 있음

○ 북한 여성권리보장법에서는 온갖 형태의 가정폭력을 금지하고 있고(제46조 제1항), 이를 위반했을 경우 행정적 책임 또는 형사적 책임을 지운다(제55조)고 규정하고 있음
- 그러나 북한사회가 가정폭력을 가정 내 문제로만 규정하는 분위기이기 때문에 공권력이 가정폭력문제에 개입하는 일은 거의 없다고 함
- 가정폭력의 주원인은 경제적 빈곤, 외도, 음주, 마약 등이 꼽히고 있는데, 가정폭력에 노출된 여성들이 국가와 사회로부터 보호받지 못하는 실정이기 때문에 가정폭력으로 처벌되는 사례가 많지 않음

○ 가정폭력과 관련해 주목할 점은 도시와 농촌 간 인식차이가 커지고 있다는 점임
- 도시의 경우 여성들의 경제적 활동이 증가하면서 여성의 가정 내 위상 강화로 폭력이 감소한 반면, 여성의 사회적 진출 기회가 상대적으로 적은 농촌은 여전히 봉건적 인식이 뿌리 깊어서 가정폭력이 만연하고 있고 이것이 문제라고 인식하는 여성 또한 적음

○ 성폭력의 경우 은밀히 발생하는 경우가 많으며, 성폭력을 예방하기 위한 교육의 부족으로 인해 성폭력에 대한 인식이 부족하기 때문에 물리적 폭력이 동반되지 않는 한 여성들이 성폭력 피해를 인지하지 못하는 경우도 많음

- 북한이탈주민에 따르면 북한에서는 학교나 가정에서 제대로 된 성교육을 받은 사례가 매우 미비하며 오히려 성에 대해 언급하는 것조차 사회적으로 수치스럽게 생각한다고 함

- 따라서 여성이 성폭력에 노출되어도 문제의 심각성을 사회전반적으로 인식하지 못하는 상황임

- 2018년에 탈북한 20대 여성은 저녁 귀갓길에 남성들의 성추행을 많이 경험했으나 이를 벌하는 경우는 한번도 본적이 없다고 증언했고 2020년에 탈북한 30대 남성은 북한에서 성희롱, 성추행은 상시 있는 일이라고 증언함

- 또한 강간 피해가 발생했을 경우 피해자가 사회적 낙인을 찍는 경우가 있어서 강간이 아니라 일반 폭력으로 신고거나, 물리적 폭력을 동반하고 면식 관계가 아닐 경우 강간이지만 평소에 알고 지냈다면 강간이 아니라는 북한이탈주민의 증언이 있음

② 아동에 대한 권리 침해

○ 아동은 신체적·정신적 미성숙으로 인해 적절한 법적 보호를 포함한 특별한 보호와 배려를 필요로 함

- 북한은 1989년에 채택된 유엔 아동권리협약에 1990년 가입하였고, 2017년 유엔 아동권리 위원회에 제출한 보고서에서 "북한 아동들은 최고지도자 김정은의 아동 사랑 정책에 따라 그들의 권리를 완전히 향유하였으며 그들의 복지는 보다 높은 수준에 촉진되었다" 고 자평함

- 김정은 시대 들어 북한당국은 교육의 현대와 정책을 펼치고 교육 조건과 환경 개선에 나서고 있으나 대부분 도시 중심으로 이루어지고 있는 것으로 보이며, 이는 취약계층 아동들은 정규교육을 받을 기회를 박탈당하고 있음을 보여주는 것임

○ 정규교육을 받는 아동들조차도 교육과정에서 정치·사상 교육을 받는 시간이 과도하게 많으며, 정치 및 체제선전 행사에 동원되는 경우도 많아 휴식과 여가를 누릴 시간이 부족하고 이는 아동들에게 육체적 부담이나 학습 방해 등으로 이어져 학생들에게 고통을 더하고 있음

- 북한이탈주민의 증언에 따르면, 학생들은 국가기념일 가두에 동원되어 행진하거나 선거일에 가창대 활동에 동원되고 김정일 사망일에 추모행사 공연을 함

- 또한 매년 김일성 생일인 태양절(4월15일) 행사 준비를 위해 2월부터 추운 날씨에 주말까지도 집단체조 연습을 하고 가끔 밤늦게까지도 연습을 한다고 함
- 북한이탈주민에 따르면 한여름 무더위 속에서 3~4시간 집단체조 연습을 하다가 쓰러지는 학생도 있으며, 집단체조 연습에 6개월 이상 동원되면서 제대로 학습을 하지 못해 연습에 동원되지 않은 아이들과 학습격차가 생겼다고도 함

○ 북한에서는 학생들에게 의무적으로 군사훈련을 시키고 있는데 이는 유엔아동권리위원회가 지속적으로 우려를 표하는 사안임
- 북한 고급중학교 2학년 과정에는 1주간 붉은청년근위대 야영훈련소에서 군사훈련을 받고, 3학년 과정에는 1주간 야외숙영을 통해 초보적인 군사 활동 능력을 기르도록 되어있음
- 군사훈련에서는 사격, 총기 분해 및 조립, 포복, 경계 근무, 군 규범 교육 등이 이루어지며, 군사훈련 마지막 날에는 실탄사격을 한다는 북한이탈주민의 증언이 있었음

○ 북한의 학생들은 공식적으로 정해진 교육과정 이외에도 방과 후나 수업시간에 각종 형태의 노동에 수시로 동원되고 있음

56

- 봄에는 김매기와 모내기에, 가을에는 감자 캐기에 동원되는데, 매년 의무적으로 나가야 하는 농촌동원은 새벽부터 시작하기 때문에 육체적으로 힘들고 정신적인 부담도 크다고 함
- 또한 학생들은 모래 나르기, 자갈 나르기 등과 같은 건설현장 노동이나 벌목, 철길 공사에 동원되기도 함

○ 북한은 2019년 UPR 보고서와 2021년 VNR 보고서에서 모든 형태의 아동 노동은 법으로 금지되어 있고 근절되었다고 주장하고 있으나 실제로는 각종 농사 및 건설 활동에 아동들이 동원되어 육체적으로 정신적으로 고통 받고 있는 실정임

10. 건강권

○ 건강권은 인간의 삶을 영위하기 위한 기본적 권리로서 식량권, 생명권 등과 연계되어 있음
- 사회권규약 제12조에서는 "모든 사람이 도달 가능한 최고수준의 신체적.정신적 건강을 향유할 권리를 가지는 것을 인정" 하도록 규정하고 있음

○ 사회권규약에 가입하고 있는 북한 역시 사회주의헌법과 인민보건법 등을 통해 법제상으로는 주민들의 건강권 보호를 명시하고 있음

- 북한 헌법 제3장 제56조에서 "국가는 전반적 무상치료제를 공고 발전시키며 의사담당 구역제와 예방의학제도를 강화 하고 보건부문에 대한 물질적 보장사업을 개선하여 사람들의 생명을 보호하며 근로자들의 건강을 증진시킨다"고 규정함
- 인민보건법 제1조에서는 "인민보건 사업은 자연과 사회의 주인이며 세상에서 가장 귀중한 존재인 사람의 생명을 보호하고 건강을 증진시키는 사업"으로 규정하며 건강권의 중요성을 강조하고 있음

○ 북한 법규에 명시된바, 북한의 보건의료체계는 크게 무상치료제, 예방의학제, 의사담당구역제로 운영되고 있음
- 무상치료제는 북한의 대표적인 사회주의 복지시스템으로써 국가가 모든 보건시설과 장비를 소유하고 있으며, 의료 인력 또한 국가가 직접 고용하는 시스템임
- 인민보건법 제2장 9조에 "국가는 모든 공민에게 완전한 무상치료의 혜택을 준다. 로동자, 농민, 지식인을 비롯한 모든 공민은 무상으로 치료받을 권리를 가진다"고 명시하고 있음
- 북한은 위생방역사업 강화를 예방의학의 핵심사업으로 강조하고 있으며 위생교육 및 검열, 방역, 위생개조 및 환경공해방지 등의 예방보건사업을 위생방역소 주관으로 각급병원 및 진료소 등의 보건의료조직망이 실시하도록 하고 있음

- '예방의학'은 북한 인민보건법 제3조에서 "사회주의 의학 에서의 기본은 예방이다. 국가는 인민보건사업에서 사회주의 의학의 원리를 구현한 예방의학 제도를 공고, 발전시킨다" 라 고 규정함
- '의사담당구역제'는 각 지역을 구역별로 나누어 의사마다 구역을 맡아 주민들에게 보건의료 서비스를 제공하는 제도임
- 담당 구역의 진료소, 종합진료소, 도·시 병원에 근무하는 의 사들은 구역 내 환자의 건강을 책임지며, 의사들은 환자 치료 와 함께 담당 구역 내 위생선전, 소독, 예방접종, 검진 등의 업무를 처리함

○ 김정은 집권 이후 북한은 의료기관의 현대화, 의료봉사의 질 향상, 원격진료체계 구축 등을 강조하며 보건의료체계의 질 적 향상을 도모하고 있음

○ 하지만 북한의 보건의료체계는 1990년대 심각한 경제난을 겪으면서 악화되기 시작하였고 의료물자 및 약품 부족, 보건 의료 인력의 양성이 제대로 이루어지지 않음으로써 공공의 료서비스가 원활히 작동되지 않고 있음
- 특히 2015년 이후 국제사회의 대북 제재가 지속적으로 강화되 자 외부로부터의 지원이 줄어들고 북한 역시 외부의 지원을 외면하면서 북한의 보건의료 상황은 개선되지 못하고 있음

① 공공 의료체계의 붕괴 및 접근에 있어서의 불평등 확대

○ 김정은 집권 이후 의료시설 및 인프라 현대화, 의약품 및 의료기기 공장 건설 등을 추진하고 있으나 대북 제재의 영향 등으로 인해 크게 개선되지 못하고 있음

- 북한에는 현대화된 시설을 갖춘 병원들이 평양 및 도/직할시 급에 일부 존재하지만, 시/군 병원들은 충분한 의료기구들도 갖추지 못 해 주민들에게 적절한 의료서비스를 제공하지 못하고 있음

- 북한주민들이 발병했을 경우 가장 먼저 찾는 1차 의료기관인 리 진료소 및 병원의 경우에는 의료 장비나 의약품이 준비되어 있지 않기 때문에 치료보다는 병을 진단해서 상급 병원으로 이관시키는 역할에 그치고 있음

- 1차 의료체계인 리·동 진료소의 경우 규모는 작지만 대부분 지역에 설치되어 있어 북한 주민들이 접근하기에는 용이한 편임. 그러나 2차, 3차 병원의 경우 농촌이나 산간지역 거주자들은 실질적으로 상급병원을 이용하기 어려운 상황임

○ 북한 공공의료서비스의 가장 큰 문제점 중 하나는 북한 주민들의 경제력에 따라 의료서비스의 질적 격차가 심화되고 있다는 점임

- 북한주민들이 의료시설을 이용할 경우 진료, 입원, 수술, 의약품 구매 등의 과정에서 발생하는 비용을 무상치료제를 실시하는 국가가 아닌 개인이 실질적으로 부담하고 있는 상황이 일상화 되어 있음

- 북한이탈주민의 증언에 따르면 초보적인 의약품은 병원에서 제공하기도 하지만, 수술에 필요한 전문의약품 공급에 드는 비용은 대부분 환자가 부담하고, 입원 시 본인이 먹을 식량과 침구류, 난방비 등 제반 비용을 모두 환자가 부담한다고 함

- 또한 병원에 약이 없기 때문에 환자들에게 외부에서 약을 사오라고 하여 주민들은 장마당에서 구입한 약을 의사에게 가져다 준다고 함

- 결국 질병 치료에 필요한 비용을 부담할 경제적 능력이 부족한 주민들은 적절한 의료혜택을 받지 못하는 결과를 초래함

② 공공 의료의 질 저하와 사적 의료행위의 일상화

○ 국가가 모든 의료비용을 부담한다는 무상치료라는 대전제가 있음에도 불구하고 북한주민들은 공공의료 시설에서 충분한 의료서비스를 제공받지 못하고 있으며, 공공의료기관 의료진이 제공하는 서비스의 질도 낮음

○ 김정은 집권 이후 지속된 북한의 경제난으로 인해 공공부문 의료체계는 거의 붕괴되었고, 이로 인해 북한주민들은 공공보다는 사적 의료서비스를 많이 활용하고 있는 실정임

○ 북한이탈주민에 따르면 북한주민들은 수술을 받는 경우가 아니면 병원에 가지 않으며, 개인의사를 찾아 처방을 받는다고 함

- 보통 기술이 좋은 의사들이 퇴직한 뒤 개인의원을 차리는데, 개인의사는 당국의 단속 대상이지만 의사들이 검찰서나 보안서 등에 인맥이 있기 때문에 단속을 피할 수 있다고 함

- 북한주민들이 개인의사를 선호하는 또 다른 이유는 공공의료기관의 기술이 떨어지거나 장비의 낙후성으로 인해 공공의료시스템에 대한 불신이 깊은데서 유래함

- 많은 임상경험을 한 의사들은 병원에 직함만을 두고 집에서 진료를 보는 경우가 많으며, 주민들 사이에 입소문이 나서 환자들이 개인의사에게 비용을 지불하고 진료를 받는다고 함

○ 김정은 집권 이후 북한당국의 의료인력 양상 및 교육이 체계적으로 이루어지지 않아 북한주민들은 북한의 의료인력을 신뢰하지 않고 있는 것으로 나타남

③ 마약류의 오남용 심화

○ 북한주민의 건강권을 심각하게 위협하는 요인 중 하나는 북한주민들의 잘못된 의료지식으로 빙두, 아편 등 마약류 오남용 현상이 심각하다는 점임

- 북한당국은 의약품관리법과 마약관리법 등 법규를 통해 마약 소지를 금지하고 재배 및 유통 시 최고 사형에 처하는 강한 법제도를 운영하고 있지만, 북한주민들 사이에 빙두나 아편이 질병 치료의 효과를 갖고 있다는 잘못된 정보가 확산되면서 주민들 사이에 마약류의 사용이 일상화되고 있음

- 북한주민들은 마약을 지속적으로 사용해도 마약에 중독된다고 생각하지 않으며, 빙두를 항생제, 아편을 진통제로 생각하고 있을 정도라고 함

- 주민들 사이에는 50대 이후 뇌질환 예방 차원에서 한달에 한번 정도 아편을 맞는 것이 좋다는 인식이 퍼져 있을 정도라고 함

- 일반주민들 뿐만 아니라 일부 개인의사들까지 주민들에게 마약류 사용을 권장하고 있을 정도임

11. 중국 내 탈북자

○ 1990년대 중반 북한에서 발생한 대규모 자연재해로 식량난
   과 경제난이 지속되면서 북한 국경을 불법적으로 탈출해서
   중국에 체류하는 북한 주민들이 발생하기 시작함
- 식량난이 장기화하면서 북한 여성 중에는 중국으로 건너가
   돈을 벌고자 하는 사람이 많아졌으며 중국에 왔다가 북한으
   로 돌아가지 않고 정착하는 경우가 늘게 됨

○ 2000년대 후반부터 중국 체류 탈북자의 규모가 감소하기 시
   작했는데, 그 이유는 북한의 국경경비 및 단속 강화, 지속적
   인 강제송환, 탈북비용의 증가로 인해 신규 탈북자가 감소한
   점과 최근의 코로나19로 인한 엄격한 국경봉쇄 조치 때문임
- 2009년 이후 북한당국은 국가보위성 차원에서 탈북 차단 비
   상대책을 세워 탈북자 가족 및 친척들에 대한 사상동향 파악
   및 감시, 사상교양 강화, 국경지역 여행증 및 숙박검열 등을
   강화한 것으로 파악됨
- 또한 북중 접경지역인 혜산 지역에 약 12km에 이르는 철조
   망이 쳐졌으며, 가로 및 세로 방향으로 철사가 쳐졌고 2층 높
   이의 감시초소가 세워졌으며 2016년부터는 감시카메라가 설
   치되었다는 북한이탈주민의 증언도 있었음

○ 북한의 식량난이 장기화하면서 북한 여성 중에는 중국으로
   돈을 벌러갔다가 북한으로 돌아가지 않고 정착하는 경우가
   늘고 있음

- 이 경우 어쩔 수 없이 중국 남성과 동거생활을 하거나 자신
  도 모르는 사이 팔려 강제결혼하는 경우도 발생함

- 중국에 장기 체류하게 되는 북한 여성들은 불안정한 신분 때
  문에 강제송환 위험에 노출되어 있으며, 이러한 상황은 중국
  남성과의 강제 결혼 생활을 유지할 수 밖에 없는 요인으로
  작용함

- 중국에 장기체류하는 북한 남성 역시 인권 침해를 겪고 있는
  데, 한 북한이탈주민에 따르면 자신이 숨어 있었던 중국 마을
  에 자신보다 먼저 탈북한 남성이 있었는데 그 남성은 돼지우
  리에서 혼자 중노동을 했으며 하루 세끼 식사만 제공받고 보
  수를 전혀 받지 못했지만 북송에 대한 위험 때문에 이의제기
  를 못했다고 증언함

○ 중국 내 탈북자들이 직면하고 있는 문제 가운데 하나는 인
   신매매인데 북한이탈주민의 규모가 증가하면서 이들을 매매
   하여 이익을 챙기려는 인신매매 조직이 발생하게 됨

- 인신매매 조직은 유인하는 사람, 북중 국경에서 인계 받는 사
  람, 중국 일정 장소에 북한 여성을 은신시키고 거래를 주선하
  는 사람 등으로 구성되고, 단계별로 거래비용이 상승함

- 대부분의 경우에는 북한 여성들이 인신매매 대상이 되고 있으나 남성들의 경우에도 노동력이 필요한 중국 오지로 거래되는 사례가 발생하고 있음

- 많은 경우의 북한 여성들은 인신매매 사실을 모른 채 중국에 팔려가지만 일부는 탈북 비용을 부담하지 못해 인신매매 사실을 알면서도 스스로 팔려가는 경우도 존재하고 김정은 집권 이후에는 국경감시가 심해지면서 인신매매만이 북한을 탈출하는 유일한 방법으로 생각해 어쩔 수 없이 스스로 팔려가는 선택을 하는 경우도 있음

○ 중국이 산업화되면서 농촌 여성들은 도시 또는 외국으로 이주하게 되고, 그 결과 중국 사회에서 결혼 상대자 혹은 성적 욕구를 충족할 대상으로서 북한 여성들이 중국 남성들의 배우자 또는 동거자로 거래되는 상황이 발생함

- 강제결혼의 형태로 인신매매된 경우 중국 남성과의 동거가 장기간 지속되는 경우도 있으나 배우자의 성적 학대, 폭력, 음주나 도박 등으로 가정생활에 어려움을 겪게 되어 다른 지역으로 도주하는 경우들도 발생함

- 많은 경우 탈북 여성들은 불안정한 신분 때문에 강제송환의 위협에 노출되어 있으며, 이는 중국 남성과의 결혼 생활을 유지할 수밖에 없는 요인으로 작용하고 있음

○ 중국에서 단속된 탈북자들은 중국 변방부대를 거쳐 국경지역 북한 국가보위성에서 조사를 받는데, 이 과정에서 고문 및 가혹행위 등의 인권침해가 발생하고 있음

- 김정은 집권 이후 탈북 통제를 강화하면서 강제송환자들에 대한 처벌이 강화되었음. 김정일 시대에는 탈북 후 자발적으로 북한으로 돌아온 경우 형사처벌이 아닌 교육조치만 받은 사례들이 있었지만 김정은 시대에는 자발적 귀환도 강하게 처벌하고 있음

- 김정은 집권 이후 탈북을 강력하게 통제하기 위해 탈북자 가족에 대한 감시와 처벌도 강화되었으며, 탈북자의 전 가족이 거주지에서 추방을 당하거나 정치범수용소를 끌려가는 사례도 발생하고 있음

- 또한 가족의 일부가 탈북을 했을 경우 북한에 남아있는 가족은 원하는 직장이나 학교에 들어가지 못하거나 직장에서 승진에 불이익을 받는 등 연좌제가 적용되고 있는 실정임

12. 해외 파견 북한 노동자

○ 북한은 외화벌이를 위해 중국, 러시아 등 40여 개 이상의 국가에 노동자들을 파견해 왔으며, 정확한 규모는 파악되지 않고 있으나 113,700~147,600여 명 정도일 것으로 추정되고 있음

○ 유엔 안전보장이사회는 북한의 잇따른 핵·미사일 실험에 대한 제재 조치의 일환으로 2017년 9월 11일 결의 제2375호를 통해 유엔 회원국 관할권 내 북한 노동자에 대한 신규 허가를 제한했으며, 2017년 12월 22일 결의 제2397호를 통해서는 체류 중인 북한 노동자를 24개월 이내에 송환할 것을 결정했음

- 그러나 아직도 중국, 러시아, 중동, 라오스 등의 국가에 상당한 규모의 북한 주민이 노동자로 파견되어 있는 것으로 추정됨

○ 사회권규약(제6조 제1항)에서는 모든 사람이 자유로이 노동을 선택하고 생계를 영위할 권리를 포함하는 근로의 권리를 인정하며 이 권리를 보호해야 한다고 규정하고 있으나, 북한에서 해외 파견 노동자들의 선발은 차별적으로 이루어지고 있음

- 북한주민이 해외 노동자로 파견되기 위해서는 신분이 좋고 경제적이 측면에서 중산층 이상이 되어야 하는데 즉 토대(성분)가 좋아야 하며, 심사 과정에서 8촌까지 가족내력을 살펴보며 기혼자의 경우 처가 쪽도 확인한다고 함

- 해외파견 노동자의 대부분은 당원이며, 이전 근무지가 평양 혹은 대도시인 경우가 많고 탈북 가능성 때문에 미혼자는 파견 대상에서 제외하거나 기혼자의 경우 자녀가 2명 이상 있어야 선발 될 수 있다는 북한이탈주민의 증언도 있음

- 선발 과정에서 뇌물 공여는 필수적인데, 2015년부터 2019년까지 약 5년간 러시아로 파견되어 건설 현장에서 노동자로 근무한 북한이탈주민은 5단계를 거쳐 최종 선발되었으며 그때마다 뇌물이 들어가 결국 총 비용이 500달러 이상 소요되었으나 그것조차도 많은 것이 아니라고 증언하였음

○ 북한의 해외 파견 노동자들은 과도한 노동에 시달리고 있는데 쿠웨이트에서 근무했던 북한이탈주민의 증언에 따르면 쿠웨이트는 낮 기온이 높아 오전 11시부터 오후 3시까지는 노동이 금지되어 있으나 북한 출신 노동자들은 주야간을 가리지 않고 일을 했다고 함

- 2014년까지 러시아에서 근무한 북한이탈주민의 경우 하루 근무 시간이 16시간에 달했으며, 2010년부터 2017년까지 러시아 모스크바에서 일한 북한이탈주민은 노동시간 오전 8시부터 밤 10시까지 였고 주말에도 쉬는 날 없이 일했다고 함

- 2016년부터 2019년까지 몽골 건설노동자로 파견되었던 북한 주민도 하루 일은 아침 8시부터 밤 10시까지 이어졌고, 중간에 점심시간을 빼고는 쉬는 시간이 거의 없었고, 명절이나 주말에도 쉬는 날이 전혀 없었다고 함

○ 북한 해외 파견 노동자들은 열악한 근로환경 속에서 과도한 노동에 시달리고 있으나, 대체로 그에 상응하는 수준의 정당한 보수를 받지 못하고 있음

- 노동의 대가로 받은 보수 가운데 세금, 사회보험료, 회사 운영비, 노동자 숙박비용 등을 국가계획분이란 명목으로 북한당국에 바쳐야 하고, 국가계획분 이외에도 소속 상급 단위 및 현지 회사로부터 과도한 금액을 부과 받고 있음

○ 과도한 상납급 부과 외에 중간 관리자 또는 간부들에 의한 착복도 발생하고 있음

- 한 북한이탈주민은 국가보다 중간 간부들에게 떼이는 게 더 많다고 증언했으며, 2017년에 탈북한 북한이탈주민은 자기 월급에서 중간 간부가 농간을 부려 많이 가져가는 바람에 본인 월급에서 30%도 못 들어오는 경우가 있었다고 함

○ 해외 노동자들은 파견 중 북한당국의 감시와 통제를 받고 있는데 북한당국은 해외 노동 현장에서도 중앙집권적인 통제체제를 가동하고 있음

- 북한당국은 해외에 파견되어 있는 노동자들을 감시하기 위해 현지 기업소마다 해외 노동자를 전체적으로 관리하는 당비서와 보위지도원을 파견하고 있으며, 해외 노동자들의 생활은

함께 파견된 국가보위성 보위원 또는 소속된 북한 회사의 관리자에 의해 감시를 받음

- 또한 공동생활을 하는 북한 해외 노동자들은 소속 회사 기숙사에서 열리는 총화에 참석해야 하며, 해외 노동자들은 일주일에 2~3차례 소지품을 검열받고, 핸드폰의 소지는 허용되지 않음

- 그러나 북한이탈주민은 회사에서 스마트폰은 쓰지 못하게 했지만 노동자들이 전화를 암암리에 사용했으며, 관리자 몰래 유튜브에도 많이 접속하여, 2018년 남북정상회담도 시청하고, 한국 노래를 듣기도 했다고 함.

13. 분단으로 인한 인권침해

① 국군포로

○ 6.25전쟁 종전 후 유엔군사령부가 추정한 국군포로의 수는 약 82,000명 정도였으나, 송환된 국군포로는 8,343명에 불과하여 다수의 국군포로가 북한에 억류되어 있을 것으로 추정됨

- 북한은 이에 대해 국군포로는 전원 송환되었으며 현재 북한에 억류 중인 국군포로는 단 한명도 없다는 입장을 주장하고 있음

- 제네바 협약에 따르면 적대행위가 종료된 후 지체 없이 전쟁 포로를 석방·송환해야 한다고 규정하고 있는데(제118조), 이 협약에 따르면 북한의 국군포로 송환 거부는 정전협정 위반이자 제네바협약 위반 사항임

○ 북한에 억류되었다 북한을 탈출하여 남한으로 귀환한 국군 포로는 2023년 10월 기준 총 80명인데 2011년 이후부터는 귀한 국군포로가 없는 이유는 국군포로의 고령화, 김정은 정권의 탈북 감시 강화가 주 원인임

- 귀환 국군포로의 출신지는 대부분 함경북도였는데 이는 국군 포로 대부분이 함경북도 지역의 탄광에 배치되어 강제노역에 시달렸기 때문임

- 귀환 국군포로의 증언에 따르면, 6.25전쟁 시기 인민군으로 재편입되거나, 정전협정 이후 대부분 탄광이나 농촌 지역에 집단 배치되어 전후복구사업에 강제 동원된 것으로 파악되고 있음

○ 2007년 4월 12일 발표된 미 국방부 비밀해제 문서 「한국전쟁 포로들의 소련 이동 보고서」에 따르면 수천 명의 국군포로들이 1951년 11월~1952년 4월 오호츠크 등 구 소련 극동 항구로 이송된 뒤 야쿠츠크 주변의 콜리마 수용소 등으로 보내졌다고 함

- 추크치해 지역으로 이송된 국군포로들은 최소 1만 2,000명에 달하였고, 도로 공사와 비행장 건설 등에 동원돼 사망률이 높았다고 기록되어 있음

○ 국군포로의 대부분은 함경북도 및 함경남도 지역 탄광에 배치되었는데 그 이유는 당시 북한에서 탄광 노동자 확보가 절대적으로 필요한 상황이었으며, 탄광의 경우 생활에 대한 감시와 통제가 용이하였기 때문임
- 탄광 노동자로 배치된 국군포로들은 하루 2교대로 12시간씩 탄광 일을 하였으며, 함경북도 일대의 탄광에 배치된 국군포로는 한때 1,100~1,200명에 달했던 것으로 추정됨

○ 국군포로들은 한국전쟁 종료 이후 청진 25호 관리소에 수용되어 있던 것으로 보이는데, 청진 25호 관리소는 한국전쟁 이후 포로수용소로 사용되다가 후에 정치범수용소로 용도가 변경되었음

○ 북한에서 국군포로와 그 가족들은 사회적 차별을 받은 것으로 알려지고 있는데, 국군포로들은 거주지역과 직장 선택의 제한을 받은 것은 물론 자녀를 비롯한 그 가족들은 입당과 진학, 직장 선택에 있어 차별을 받은 것으로 전해지고 있음

○ 남북한은 2000년 정상회담 이후 국군포로 문제를 이산가족 문제와 함께 협의해 나가기로 합의하였고, 이산가족 상봉 행사를 통해 56명의 국군포로 생사가 확인되었으며 이 중 18명이 가족과 재회하기도 함

- 그러나 원칙적으로 북한이 국군포로의 존재를 부인하고 있기 때문에 국군포로 문제를 근본적으로 해결하는데 어려움을 겪고 있음

② 납북자

○ 6.25전쟁 기간 동안 많은 수의 남한 국민이 북한에 의해 납치 되었으며, 그 규모는 2,438명 (서울시 피해자 명부)에서 많게는 82,959명(6.25사변 피랍치자 명부)으로 추정되고 있음

- 전시납북자의 수가 매우 많은데도 불구하고 자력으로 귀환한 경우가 없는데는 다수의 납북자들이 북한에 협조하지 않아 피살되었고, 납북자 본인이 신변의 안전을 위해 북측 가족들에게 전시 납북 사실을 제대로 알리지 않았기 때문인 것으로 파악됨

○ 정전 이후 북한으로 납북된 전후납북자 수는 총 3,835명으로 이들 중 일부는 본인의 의사와는 상관없이 북한당국에 의해 억류되어 있는 것으로 알려져 있음

- 전후납북자 3,835명 중 3,310명(86.5%)은 납북 이후 6개월에서 1년 사이에 남한으로 송환되었고, 9명은 2000년 이후 탈북하여 귀환하였음. 2023년 10월 현재 북한에 억류되어 있는 전후 납북자 수는 516명으로 추정됨

○ 납북자 중 일부는 대남방송이나 간첩교육에 이용되고, 일부는 대남사업에 종사시키고 있는 것으로 알려져 있음, 그러나 활용가치가 없는 납북자들은 정치범 수용소에 수용된 것으로 추정됨

- 1969년 공중납치 된 KAL기 승무원이었던 성경희, 정경석 등은 대남방송에 이용되었고, 일부 납북자들은 남파간첩을 훈련시키는 교원으로 이용된 것으로 알려짐

- 2000년 6월에 탈북하여 귀환한 납북어부 증언에 따르면, 납북어부들 가운데 일부는 일정 교육을 받은 후 대남사업에 종사하고 있으며, 자신도 대남간첩교육을 받은 바 있다고 밝힘

○ 북한당국에 의한 민간인 납치행위는 강제실종과 밀접한 관련이 있는데, 강제실종은 그 자체로서 개인의 권리를 침해하는 것일 뿐만 아니라, 납치 과정에서 나타날 수 있는 고문 등의 비인도적 대우 등 여러 인권 침해가 발생하게 된다는 점에서 문제의 심각성이 있음

- 그러나 북한은 납북자의 존재 자체를 부정하고 있다. '의거 입북자'만이 있다는 입장을 고수하고 있음

③ 억류자

○ 현재 북한에는 2013년 억류된 김정욱을 비롯해 김국기, 최춘 길 등 기독교 선교사 3명과 북한을 탈출해 한국 국적자가 3 명의 북한이탈주민 등 총 6명의 남한 주민 억류되어 있음

<표 4> 북한 억류자 현황 및 재판 결과

성명	국적	체포일시	재판일시	적용범죄	형벌
김정욱	대한민국	2013.10.8.	2014.5.30.	국가전복음모죄 간첩죄 반국가선전선동죄 비법국경출입죄	무기 노동교화형
김국기	대한민국	2014.10.1.	2015.6.23	국가전복음모죄 간첩죄 파괴함해죄 비법국경출입	무기 노동교화형
최춘길		2014.12.			

○ 북한은 억류자들에게 반공화국적대행위, 국가전복음모죄에 해당하는 행위를 하였다는 혐의 등으로 노동교화형 또는 무 기노동교화형을 선고하였음

○ 그러나 재판과정에서 변호인의 조력을 받았는지 여부와 항소과정을 보장받았는지 여부 등이 알려지지 않아 공정한 재판을 받을 권리를 침해 받았을 가능성이 매우 높음

○ 또한 북한당국은 억류 중인 남한 주민에게 국제법상의 권리인 영사접견권을 인정하지 않고 있음 이로 인해 북한에 억류 중인 남한 주민이 어디에 억류되어 있는지, 건강 상태는 어떠한지, 안전 여부는 어떠한지 확인되지 않고 있음

④ 이산가족

○ 남북이산가족이란 가족과 헤어져 남북한 지역에 분리된 상태로 거주하고 있는 8촌 이내의 친인척과 배우자 또는 배우자였던 자를 말함

○ 이산가족의 발생 원인은 한반도 분단, 자진 월남·월북, 납북, 전쟁포로 미귀환, 억류 등 따라 다양하며, 이산가족들은 북에 있는 가족들과의 서신교환이나 상봉 등과 같은 교류는 물론 생사확인 조차도 하지 못하는 실정임

○ 이산가족들은 국제인권법상의 권리 가운데 하나인 가족결합권(right to family unification)을 침해받고 있음

- 가족결합권은 남녀가 혼인하여 가정을 이룰 권리, 아동이 부모와 분리되지 않고 함께 살 권리 등으로부터 파생되는 개념이며, 세계인권선언을 비롯해 국제인권조약들 또한 남북한의 헌법에서도 가족결합권을 규정하고 있음

○ 분단이 장기화하면서 이산 1세대의 고령화가 심화되고, 사망자들이 빠르게 증가하고 있어 문제해결의 시급성이 부각되고 있음
- 2016년을 기점으로 이산가족 사망자 수가 생존자 수를 넘어섰으며, 2023년 9월 30일 기준 이산가족 등록 신청자는 133,685명으로 이 중 생존자는 40,408명, 사망자는 93,277명임
- 생존자 40,408명 중 90세 이상은 12,152명(30.3%), 80~89세 14,475명(36.0%)으로 80세 이상의 초고령자가 전체 이산가족 등록자 중 66.3%에 달하고 있음

<표 5> 이산가족 등록 현황 (2023년 9월 30일 기준)

연도	신청자(명)	생존자(명)	사망자(명)
2015	130,808	65,674	65,134
2016	131,143	62,631	68,512
2017	131,344	59,037	72,307
2018	133,208	55,978	77,221
2019	133,370	52,730	80,640
2020	133,406	49,452	83,954
2021	133,619	46,215	87,404
2022	133,675	42,624	91,051
2023.9	133,685	40,408	93,277

※ 출처: 남북이산가족찾기 이산가족정보통합시스템

<표 6> 등록 이산가족 생존자 현황 (2023년 9월 30일 기준)

구분	90세 이상	80~89세	70~79세	60~69세	59세 이하	계
인원수 (명)	12,152	14,475	7,451	3,825	2,258	40,161
비율	30.3%	36.0%	18.6%	9.5%	5.6%	100%

※ 출처: 남북이산가족찾기 이산가족정보통합시스템

○ 가족결합권 실현 차원에서 한국 정부는 그동안 남북적십자 회담과 장관급회담 등을 통해 이산가족 문제를 해결하려 노력해 왔고, 이산가족 문제를 근본적으로 해결하기 위한 인도적 협력 강화, 금강산 지역의 이산가족 상설면회소 개소, 적십자 회담을 통한 이산가족의 화상 상봉과 영상 편지 교환 문제의 우선적 해결에 합의하였으나 합의 사항은 이행되지 않았음

- 2019년 이후 남북 당국 차원의 이산가족 생사확인, 서신교환, 방남·방북 상봉, 화상 상봉 등 이산가족 교류는 전무한 상황이며, 2022년 9월 권영세 통일부 장관이 이산가족 문제해결을 위한 남북 당국 간 회담을 북한에 제안했으나 북한은 대북통지문을 받지 않았음

[IV]
북한인권 문제에 대한
국제사회의 대응

무너지고 있는 북한

Ⅳ. 북한인권 문제에 대한 국제사회의 대응

1. 유엔의 노력

○ 북한인권 문제에 대한 심각성이 국제사회에 알려지면서 2000년대 초반부터 유엔을 중심으로 북한인권 개선을 위한 다양한 활동 전개
- 2003년~2005년, 구(舊) 유엔 인권위원회(United Nations Commission on Human Rights)에서 북한인권결의가 채택되고, 2008년부터는 유엔 인권이사회(United Nations Human Rights Council)에서 북한인권결의가 채택되고 있음
- 유엔 총회에서도 2005년부터 2022년까지 18년 연속으로 북한인권결의를 채택하고 있음

○ 2004년 유엔 인권위원회(인권이사회 전신)의 결의에 따라 북한인권 상황을 조사·연구하여 유엔 총회 및 인권이사회에 보고하는 임무를 수행하는 유엔 북한인권 특별보고관이 설치
- 유엔 북한인권 특별보고관은 매년 인권이사회 결의로 임무가 연장되고 있으며, 초대 특별보고관은 문타폰(Muntarbhon), 2대 특별보고관은 다루스만(Darusmna), 3대 특별보고관은 오헤아 킨타나(Ojea Quintana)였으며, 2022년 8월 1일부터 엘리자베스 살몬이 4대 특별보고관으로 활동

○ 2013년 3월 유엔 인권이사회 결의에 따라 북한인권조사위원
회(Commission of Inquiry on Human Rights in the Democratic
People's Republic of Korea, 이하 COI)가 설치됨

- 유엔 북한인권조사위원회는 북한의 인권문제를 조사하기 위
해 설립된 유엔 차원의 첫 번째 공식기구로써 2013년 3월
유엔 인권이사회 제22차 회의에서 이사국 만장일치로 채택
된 결의안을 바탕으로 구성

- 북한인권조사위원회 초대 위원장은 마이클 커비(Michael
Curby, 전 호주 대법관)가 임명되었으며, 위원회는 위원장
외 특별보좌관 2명으로 구성됨

○ COI 보고서는 북한인권에 대한 조사를 진행하여 북한 정권
이 광범위하고 조직적으로 심각한 반인도범죄를 자행하고
있는 점을 밝힘

- COI의 조사 임무는 식량권 침해, 정치범수용소 관련 인권침
해, 고문 및 비인도적 대우, 자의적 체포 및 구금, 각종 차
별, 표현의 자유 침해, 생명권 침해, 이동의 자유 침해, 강제
실종 등 광범위한 부분에서 북한의 인권침해 사실을 조사함

- COI 보고서에서는 △북한당국에 의한 조직적이고 광범위한
인권침해가 발생, △조사 위원회가 조사한 인권침해 사례들
은 '반인도범죄'에 해당, △북한에서 발생하는 인권침해

의 심각성은 유례 없이 심각, △소수의 권력집단이 북한주
민의 모든 부문을 장악하고 있으며 공포심을 주입한다는 결
론을 내림

○ 북한에서 자행되는 인권침해는 구체적으로 국가안전보위부
(현 국가보위성), 인민보안부(현 사회안전성), 검찰 및 재판
소, 조선인민군, 조선노동당, 국방위원회(현 국무위원회)등에
기관책임(Institutional Accountability)이 있다고 결론

- COI 보고서는 '반인도 범죄(Crimes against humanity)'
위반자들이 책임을 져야 하며 북한의 '최고지도자'가 독
자적인 의사 결정 기관으로 역할을 한다고 명시함으로써 김
정은에 대한 형사책임을 언급함

- 형사책임의 방법으로는 유엔 안전보장이사회가 북한의 상황
(situation)을 국제형사재판소(ICC)에 회부하거나 유엔 특별재
판소(ad-hoc tribunal)를 설립하는 방식을 제시함

○ COI 보고서 후속조치로 2015년 6월 유엔 인권최고대표사무
소 서울사무소(약칭 서울 유엔인권사무소)가 설치

- 서울 유엔인권사무소는 △북한 인권 모니터링과 기록을 강
화하여 해당국 내 책임 규명을 위한 노력에 기여, △유관
회원국, 시민사회단체 및 기타 이해관계자와 협력하고 이들

의 역량 강화 도모, △지속적인 소통, 옹호 활동 및 지평 확
대 노력을 통해 북한 내 인권 상황에 대한 가시성을 유지
하는 목적으로 개소됨

2. 개별 국가의 노력: 북한인권법 제정

○ 개별 국가 차원에서는 한국(2016), 미국(2004), 일본(2006)이
  북한의 인권침해 상황에 대한 심각성을 인지하고 북한인권
  법을 제정

○ 미국 북한인권법의 특징
- 미국의 북한인권법의 목적은 ①북한 내 기본적 인권의 보호
  와 존중, ②탈북민 문제에 대한 인도적이며 지속적인 해결
  책 촉진, ③북한 내 인도주의적 지원의 투명성과 접근성, 모
  니터링 강화, ④북한 안팎으로의 자유로운 정보흐름의 촉진,
  ⑤평화적이며 민주적인 한반도 통일 달성 촉진 등임
- 미국 북한인권법의 주요내용은 △북한주민들의 인권 증진, △
  궁핍한 북한주민들에 대한 지원, △북한 난민 보호 등임
- 북한인권증진을 위한 구체적 예산(200만달러), 정보 전파를
  위한 방송지원, NGO와 국제단체를 통한 지원 시 구체적 기
  준 제시, 중국에 은신중인 탈북민의 보호

○ 일본 북한인권법의 특징

- 일본의 북한인권법은 북한당국에 의한 일본인 납치문제를 최우선적으로 해결한다는 입법 취지를 가지고 있음

- 일본 북한인권법의 주요 내용은 △납치문제의 개선이 도모되지 않고 있다고 판단될 경우 일본정부가 북한에 대한 경제제재를 발동, △일본 정부가 탈북자 지원을 행하도록 규정, △국제적인 동향을 종합적으로 감안하여 경제제재 발동을 판단하도록 정부에 재량권 부여 등임

○ 한국 북한인권법의 특징

- 한국 북한인권법의 경우 미국과 일본의 북한인권법에 비해 목적성이 광범위하며, 북한인권 개선을 위한 직접적인 압박보다는 북한인권 관련 제도를 만들고 제도 안에서 북한인권 문제를 다루려는 목적이 강함

- 한국 북한인권법의 목적은 국제인권규약에 규정된 자유권 및 생존권을 추구함으로써 북한 주민의 인권 보호 및 증진에 기여

- 한국 북한인권법의 주요내용은 △북한인권증진자문위원회 설치, △북한인권증진기본계획 및 집행계획 수립, △남북인권대화 추진, △북한주민에 대한 인도적 지원, △북한인권증진을 위한 국제적 협력, △북한인권재단의 설립, △통일부에 북한인권기록센터 설치 등임

3. 비정부기구 (NGO)의 노력

○ 국내뿐 아니라 국제적으로도 수많은 북한인권 관련 비정부
  기구(이하 NGO) 및 민간단체가 활발하게 활동 중임

- 1990년대 중반, 북한의 대규모 기아 및 탈북 사태를 지켜보
  던 미국과 서유럽 NGO를 중심으로 북한인권 문제에 대한
  문제제기가 시작됨

- 2000년 들어 미국 부시 행정부의 문제제기 및 EU의 UN 북
  한인권 결의안 상정 등으로 북한인권이 국제적 논의의 대상
  으로 급부상함

- 다수의 민간단체가 북한인권 문제 해결을 위해 활동을 시작
  했고, 초기에는 관련 캠페인, 국제회의, 세미나 등 북한인권
  문제의 국제이슈화에 주력했으나, 점차 주요국 및 국제기구
  의 개입을 촉구하는 수준으로 발전함

- 최근에는 △UN 사무총장·인권기구·안보리에 청원서 제출,
  △주요국 의회 의원 면담 및 서한전달, △전 세계 중국 및
  북한대사관 앞 항의시위 등 국제사회 개입을 촉진하기 위한
  활동을 강화하고 있음

- 또한, 국제파급력 제고를 위한 한국, 미국, 일본, EU 등 관
  련 NGO 간 공동 활동 비중이 대폭 확대되고 있음

- 특히, 북한 반(反)인도범죄 증거수집 및 인권탄압 책임자의 ICC기소 등 법적 처벌을 목표로 활동하는 새로운 양상이 표출됨
- 이와 같은 노력에 힘입어 UN 인권이사회의 UN 북한인권조사위(COI)설치 결의(2013.3) 및 최종보고서 발표(2014.2), UN 안보리 북한인권 의제화(2014.12) 등 국제사회 내 북한인권 관심 확산 및 제도화에 크게 기여

○ 북한인권 NGO들의 활동 유형은 크게 ①캠페인·로비, ②학술연구, ③직접개입, ④종교단체 활동, ⑤탈북자 및 해외 한인 단체 활동 등으로 나눌 수 있음

<표 7> NGO 활동 유형

유형	내용
캠페인 및 로비	세미나 및 시위 개최와 각국 정부·의회 대상 청원서 제출을 통해 북한인권 문제에 대한 관심 확산
학술연구	인권분야 전문성을 바탕으로 북한실태를 분석하고 정책적 대안을 제시하는 연구보고서 생산
직접개입	중국 등지에서 탈북자 구출과 북한 내 취약계층 지원을 통해 생존권을 보장하는데 관심
종교단체 활동	북한 내 종교박해 실태를 규탄하는데서 출발해 인권유린 상황 전반에 대한 개선촉구 활동으로 확장
탈북자 및 해외 한인 단체 활동	각국에서 한인교포 및 탈북자들이 연대하여 북한 내 인권침해 실상을 국제사회에 전파하는데 주력

〈표 8〉 지역별 NGO 활동의 특징

지역	특징
대한민국	북한인권 NGO들의 최대·최다 활동지역으로 1990년대 후반부터 활동이 적극화, 2000년대 이후 단체수가 급속히 증가
미국	2004년 북한인권법 제정 후 북한 인권문제를 집중적으로 다루는 단체가 등장하면서 전 세계 인권증진 차원에서 북한 문제를 조명. 특히 재미교포 및 한인교회를 중심으로 활발한 활동을 전개
유럽	전통적으로 인권을 중요한 가치로 인식, 초기부터 북한인권 문제에 관심을 기울여왔으며 EU의회 차원에서도 NGO들과 긴밀한 협력아래 관련 정책을 수립하는 경향
일본	북한난민구원기금 등이 탈북자 구출·지원에 관심을 두고 있으며, 대다수 NGO는 일본인 납치문제 해결에 치중
기타	캐나다에서는 교포사회를 중심으로 탈북자 정착지원 및 북한 인권 문제 인식제고 활동을 전개하고 있으며, 일부 중남미·동남아 내 인권단체들이 국내외 NGO들과 연합활동을 전개

○ 북한인권 NGO들은 특히 대북 정보유입의 중요한 역할을 하고 있음

- 북한의 내부 변화를 이끌어 내기 위해서는 북한 주민들이 인권 인도주의적 문제에 관심을 갖고 북한 정권에 책임을 묻는 핵심 역할을 할 수 있게 해주어야 하며, 이를 위해서

다양한 방법으로 북한 내부에 새로운 정보를 유입하는

는 다양한 방법으로 북한 내부에 새로운 정보를 유입하는 것이 중요함

- 실제 대부분의 탈북자들은 북한 거주 당시 외국 콘텐츠를 접한 적이 있다고 이야기하고 있으며, 외부 정보를 접한 북한 사람들은 자신이 처한 현실을 인식하고, 외부 세계에 대해 더 많이 알고 싶어 한다는 증언이 많음

- 북한 관련 수많은 전문가를 비롯, 미국 정부 역시 최근에도 (2023년 9월 현재) 북한 정권의 실체를 주민들에게 알리기 위해 더욱 적극적인 정보 유입 활동을 벌이겠다는 의지를 재확인했음

- 무엇보다 북한이 2020년 12월부터 외부 정보에 대한 접근을 제한하는 일련의 법을 통과시키는 등, 대북 정보유입의 중요성은 나날이 증가하고 있어, 이 부분의 핵심 역할을 하고 있는 NGO의 역할이 더욱 부각되고 있음

○ 대북 정보유입의 수단으로는 라디오, 전단, SD카드, USB, 휴대전화를 포함한 디지털 기기 등이 있으며, 최근에는 위성 등을 활용한 새로운 기술의 개발 및 활용에 관한 논의도 활발하게 이루어지고 있음

4. 대한민국 정부의 노력

○ 2023년 10월, 대한민국 윤석열 정부는 북한인권 문제를 북핵 문제만큼 중요한 과제로 인식하고 있다고 밝힘

- 북한은 식량난 등 민생 악화에도 불구하고 핵개발을 지속하고 있다는 점에서, 북핵문제는 곧 북한인권 문제이며, 북한인권 문제는 결국 안보 문제로 직결된다고 강조함

- 북한인권은 보편적 가치를 실현하는 문제이자, 자유민주적 평화통일을 대비하는 실질적인 준비로서 인식하고 있음

○ 북한인권 정책의 주요 추진 방향은 크게 ①북한인권 문제 인식 제고, ②이산가족·국군포로·납북자·억류자 등 인도적 현안문제 해결, ③인도적 지원 지속적 추진, ④자유·인권 가치 공감대 확산으로 나눌 수 있음

○ 인권은 인류 보편적 가치라는 점에서 북한인권 문제 역시 남북 간 문제에 국한될 것이 아니라 글로벌 이슈로 접근하는 것이 바람직하다고 판단, 국제협력을 강화하고자 함

- 정부는 유엔총회, 인권 이사회의 북한인권 논의에 적극 참여하고, 유엔북한 인권특별보고관 및 유엔 북한인권 사무소의 활동도 적극 지원해 나갈 것이라고 밝힘

○ 다만 2016년 북한인권법 통과 이후 설립이 계획된 북한인권
재단이 정치적 이견으로 아직까지 출범조차 못한 채 임대료
등의 명목으로 혈세만 낭비하고 있는 형편임

○ 아직 우리나라에서는 북한인권 문제가 인류 보편적 가치로
서가 아닌 정치적 논리로 이해되는 경우가 많으며, 이를 해
결하기 위해서는 정치권, 시민사회가 더욱 적극적으로 소통
해야 할 필요가 있음

[V]
부 록

V. 부록

1. 인권 교수학습 방법 예시

<표 9> 인권 교수학습 방법

방법	내용
사례연구	- 북한인권 현실에 관한 실제 사례 준비 - 쟁점별로 몇 가지 사례를 바탕으로 그룹별 토의 진행 - 인권 개념에 비추어 무엇이 문제인지, 해결 방안은 무엇인지 조별 발표 - 발표에 대한 상호 평가 및 교수자 평가
토의/토론	- 교수자가 북한인권에 대한 특정 주제를 제시 - 수업 참여자가 북한인권에 대한 각 이해 당사자 (남북한, 미국, 일본, 중국, 유럽, 유엔 등)의 입장에서 쟁점 및 주장 정리 - 가상의 토의/토론 진행 - 상호 평가 및 교수자 평가
인터뷰	- 교수자가 북한인권에 대한 강의를 진행 후, 학습자가 실제 북한인권 문제를 겪은 사람이나 전문가 대상으로 직접 인터뷰하는 기회 부여 - 특별 강연자를 초빙하거나 관련 단체, 기관 등을 방문하여 진행
연구 활동	- 북한인권을 주제로 특정 수준의 연구 보고서를 작성할 수 있도록 함 - 다양한 연구 방법론를 교육하고, 제시된 주제에 대한 보고서를 작성하도록 교육

2. 북한인권 교수학습 방법 예시

① 북한인권 전문가 양성 교수학습법 예시

○ 북한인권 이해를 위한 영상 자료 활용법 강의

학 습 목 표

1. 북한인권교육 영상 미디어 자료 활용 방법을 알고 수업에 적용할 수 있다.
2. 북한인권 지도 자료를 활용하는 방법을 알고 수업에 적용할 수 있다.

- **도입**: "북한인권교육 이해를 위한 영상 자료는 북한과 북한의 인권 현실을 이해하기 위한 지식이나 개념을 학생들이 이해하기 쉽도록 안내하는 것을 목표로 하는 자료입니다. 즉, 북한인권에 대한 정보전달을 주요하게 다른 자료입니다. 이러한 자료는 북한인권에 대한 기본적이 지식이나 개념을 다루기도 하지만, 더 넓게는 우리 주변의 노동자들을 소개하는 영역까지 다룰 수 있습니다. 그럼 xx학교에서 활용할 수 있는 북한인권교육 영상 콘텐츠를 안내하고 수업에 적용할 수 있는 방법을 이야기하도록 하겠습니다."

- **진행**: 인권 및 북한인권을 다룬 특정 영상물을 관련 유인물
  과 함께 시청 후 활용방법 강의 (유인물: 영상 주제 및 내
  용, 교육 활용안 등을 정리하여 배포)
- **실습**: 시청 영상을 토대로 실제 지도안 작성 후 상호 평가
  및 토의

② 북한인권 학습 지도안 양식 예시

〈표 10〉 북한인권 학습 지도안 양식

주제	북한인권 증진을 위한 정보유입 방안	일시	202x. x. x (x)	대상	
학습 목표	1. 인권의 중요성과 북한인권의 현실에 대해 이해하고, 본인의 의견을 말할 수 있다. 2. 북한인권 증진을 위한 정보유입의 중요성과 방법을 이해하고 의견을 말할 수 있다.				
준비 물	교수자	유인물, 사진 및 영상자료			
	수강생	사전 제시 주제 관련 토론 자료			

단계	학습내용	학습활동		교보재	시간 (분)
		교사	학생		
도입					
전개					
정리					

북한인권 실태 보고서

발　행 | 2023년 12월 5일
저　자 | 이석배 (세이브엔케이 사업단)
펴낸이 | 한건희
펴낸곳 | 주식회사 부크크
출판사등록 | 2014.07.15.(제2014-16호)
주　소 | 서울특별시 금천구 가산디지털1로 119 SK트윈타워 A동 305호
전　화 | 1670-8316
이메일 | info@bookk.co.kr

ISBN | 979-11-410-5735-0

www.bookk.co.kr

[북한인권 실태 보고서]

값 10,000원
03340

ISBN 979-11-410-5735-0

세이브엔케이 사업단

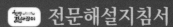

전문해설지침서

영원한 법궁, 경복궁

이상욱 지음

궁궐투어편 1

일반적으로 궁궐건축, 왕실문화에 편중된
나열식 해설이 대부분인 현실에서
이제는 공간의 위상과 역사적 의미를 함께
강조하며 균형감 있게 설명해 주는 해설이 필요하다.

꽃우물